Helmut Merklein
Christus und die Kirche

Stuttgarter Bibelstudien 66

herausgegeben von Herbert Haag, Rudolf Kilian
und Wilhelm Pesch

AC. NO.

A. TITLE

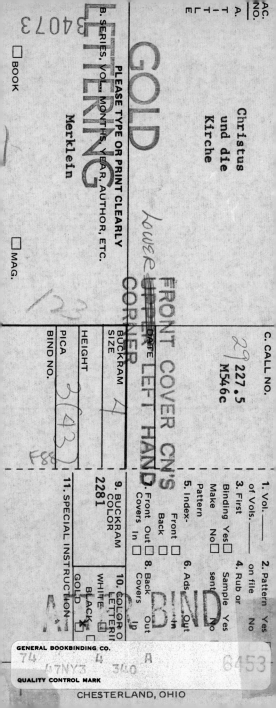

Christus
und die
Kirche

GOLD

PLEASE TYPE OR PRINT CLEARLY

B. SERIES, VOL., MONTHS, YEAR, AUTHOR, ETC.

LETTERING

Merklein

34073

☐ BOOK ☐ MAG.

123

C. CALL NO.

29 227.5
M546c

FRONT COVER CN'S
Lower ~~UPPER~~ LEFT HAND
CORNER

DATE

BUCKRAM SIZE 4

HEIGHT

PICA 3(43)

BIND NO.

F88

1. Vol. ____ of Vols. ____
2. Pattern on file Yes No
3. First Binding Make Pattern Yes ☐ No ☐
4. Rub or Sample sent Yes No
5. Index- Front ☐ Back ☐
6. Ads Out In
7. Front Covers Out ☐ In ☐
8. Back Covers Out In
9. BUCKRAM COLOR 2281
10. COLOR OF LETTERING WHITE ☐ BLACK ☐ GOLD ☒
11. SPECIAL INSTRUCTION

BIND

A:

Helmut Merklein

Christus und die Kirche

Die theologische Grundstruktur des Epheserbriefes nach Eph 2,11-18

KBW VERLAG

KBW Verlag Stuttgart

ISBN 3-460-03661-3

Lektorat: Josef Metzinger
Umschlag: Hans Burkardt
Gesamtherstellung: Buch- und Offsetdruckerei Georg Riederer, Stuttgart

Vorwort

Der Grundstock der vorliegenden Untersuchung geht auf ein Kapitel meiner Dissertation »Das kirchliche Amt nach dem Epheserbrief« zurück, die im Wintersemester 1971/72 von der Theologischen Fakultät der Universität Würzburg angenommen wurde. Da es in diesem Kapitel um die grundsätzliche Frage nach der theologischen Konzeption des Epheserbriefes ging, deren Beantwortung sowohl für die Beurteilung des Briefes überhaupt als auch für jede Einzelexegese von entscheidender Bedeutung ist, empfahl sich eine gesonderte Veröffentlichung. Zu diesem Zweck wurde das Manuskript erheblich überarbeitet und stellt jetzt — wie ich hoffe — ein in sich geschlossenes Ganzes dar.

Besonderer Dank gebührt an dieser Stelle meinem verehrten Lehrer, Herrn Prof. Dr. Rudolf Schnackenburg, der diese Arbeit angeregt und mit seinem kritischen Rat entscheidend gefördert hat.
Danken möchte ich auch den Herausgebern, insbesondere Herrn Prof. Dr. Wilhelm Pesch, für die Aufnahme der Untersuchung in die Reihe der »Stuttgarter Bibelstudien«.

Würzburg, den 25. Januar 1973

HELMUT MERKLEIN

Inhalt

Einleitung

1. DER BEGRIFF »MYSTERIUM« UND SEIN ZUSAMMENHANG MIT EPH 2,11-18

Daß der Begriff »Mysterium« im theologischen Zentrum des Epheserbriefes steht, ergibt schon ein an der Konkordanz orientierter Überblick. Die Kenntnis des Mysteriums (1,9) macht den Heilsstand der Christen aus (1,3-14). Das Mysterium zu verkünden, ist Aufgabe des Apostels (6,19f) wie der Kirche insgesamt (3,9f). Das Mysterium signalisiert den eschatologischen Wendepunkt: Vor den Äonen in Gott, dem Schöpfer des Alls, verborgen (3,9) und früheren Generationen unbekannt (3,5), wird es jetzt kundgetan (3,10). Das Mysterium ist der Inhalt der eschatologischen Offenbarung, die an Apostel und Propheten ergangen ist (3,3.5).[1]

Was ist der Inhalt dieses »Mysteriums«? Eph 3,6 bringt eine Art Definition:

(V. 5) . . . jetzt wurde es (das Mysterium) geoffenbart . . .,
(V. 6) daß die Heiden Miterben und Miteinverleibte und Mitteilhaber der Verheißung sind in Christus Jesus durch das Evangelium.

Die Heilsgemeinde der Kirche, die neben den Juden auch die Heiden in sich schließt, ist demnach der eigentliche Inhalt von Gottes letztgültiger Offenbarung, der Inhalt des Mysteriums. Wie kommt der Verfasser des Epheserbriefes zu solcher Beurteilung der Offenbarung? Rein auf Grund der Definition von Eph 3,6 könnte man zunächst vermuten, er habe den Inhalt des »Mysteriums« ganz pragmatisch bestimmt. Besonders die Bemerkung, daß die Heiden *»durch das Evangelium«* Miterben usw. . . . geworden sind, könnte darauf hinweisen. Der Verfasser würde dann vom Begriff »Evangelium« ausgegangen sein (vgl. dazu Gal 1,12.16) und hätte ihn dann in seiner heilsgeschichtlichen Bedeutsamkeit und Konsequenz dargestellt. Eph 3,6 wäre dann rein pragmatische Beschreibung des

[1] Als Empfänger dieser Offenbarung können Apostel und Propheten Fundament der Kirche sein (Eph 2,20).

zur Zeit der Abfassung des Epheserbriefes vorgefundenen Faktums, nämlich der Kirche, die durch das Evangelium und seine Verkündigung nun tatsächlich Juden und Heiden in sich vereinigt.
Ist also die theologische Konzeption des Epheserbriefes eine rein pragmatische, eine simple Beschreibung erfahrbarer Faktizitäten? Oder hat das »Mysterium« doch größere Tiefendimension? Daß letzteres der Fall ist, läßt eine Stelle wie Eph 5,22-33 erahnen. Im vordergründigen Rahmen einer Eheparänese stellt dort der Autor das Verhältnis Christus-Kirche in äußerst tiefsinniger Weise dar und spricht in diesem Zusammenhang vom »Mysterium«. Daß schließlich auch Eph 3,6 mehr ist als ein oberflächlicher Tatsachenreport, erkennt man, wenn man die Verzahnung dieser Stelle mit anderen Aussagen des Briefes beachtet. Dazu ist ein Blick auf den Kontext nötig:

(V. 3) Gemäß Offenbarung wurde mir das Mysterium kundgetan, *wie ich es in Kürze vorher beschrieben habe* (= προέγραψα),
(V. 4) woran ihr, wenn ihr es lest, meine Einsicht in das Mysterium Christi erkennen könnt,
(V. 5) das zu früheren Generationen nicht kundgetan wurde den Menschensöhnen wie es jetzt geoffenbart wurde seinen heiligen Aposteln und Propheten im Geiste,
(V. 6) daß die Heiden ... (s. o.).

V. 3b (im Text hervorgehoben) kann allem logischen Empfinden nach nur »der Übereinstimmung zwischen dem Inhalt jener Offenbarung, wovon V. 3 spricht, und dem in den beiden vorhergehenden Kapiteln Ausgeführten gelten«[2]. *H. Schlier* bezieht V. 3b auf die »Darlegungen von 1,3-14; 1,18-23 und Kapitel 2«[3]. Wenn man nun berücksichtigt, daß das Mysterium, von dessen Offenbarung in V. 3 die Rede ist, in V. 6 inhaltlich als die Zugehörigkeit der Heiden zur Kirche bestimmt wird, dann wird man den Passus, auf

[2] *Percy,* Probleme 350; so auch *Dibelius,* Eph 74; vgl. *Conzelmann,* Eph 71; *Staab,* Eph 140; *Bauer,* 1396,1a. — *Goodspeed,* Meaning 42f, hatte προέγραψα auf frühere Briefe bezogen (vgl. neuerdings wieder *Marxsen,* Einleitung 169). Das ist jedoch nicht überzeugend, da »in Kürze« kaum den früheren Briefen gerecht würde (so *Dibelius,* Eph 74). Unbefriedigend — bezüglich des Kontextes — bleibt auch der Vorschlag von *Soden,* Eph z. St. (»öffentlich anschreiben«).
[3] Eph 149.

den sich V. 3b zurückbezieht, noch genauer angeben können. Die »kurze Beschreibung« des geoffenbarten Mysteriums wird man in Eph 1.2 dort zu suchen haben, wo von den Heiden die Rede ist,[4] näherhin dort, wo das Zustandekommen der Kirche aus Juden *und* Heiden näher reflektiert wird. Das ist, wie schon *E. Percy*[5] und *E. Gaugler*[6] ausdrücklich festgestellt haben, in dem mit V. 11 beginnenden Abschnitt des zweiten Kapitels der Fall. Insbesondere in Eph 2,14-18 wird das, was Eph 3,6 definitiv kurz ausdrückt, theologisch entfaltet: Das Nahegekommensein der Heiden wird mit dem Kreuzestod Christi in Verbindung gebracht, bzw. die Tat Christi am Kreuz in ihrer ekklesiologischen und soteriologischen Tragweite bezüglich der Kirche aus Juden und Heiden dargestellt. Schon diese kurze Charakterisierung von Eph 2,14-18 läßt erkennen, daß die theologische Konzeption des Epheserbriefes, die sich zentral in dem Begriff des Mysteriums zuspitzt, keineswegs bloß als pragmatische Beschreibung von Fakten zu würdigen ist, wie das eine isolierte Betrachtung von Eph 3,6 nahelegen könnte.

Andererseits verspricht der aufgezeigte Zusammenhang zwischen Eph 3,3-6 (Offenbarung des Mysteriums) und Eph 2,14-18, daß gerade eine Exegese von Eph 2,11-18,[7] wie wir sie uns hier vorgenommen haben, aufschlußreiche Erkenntnisse für die Beurteilung des Epheserbriefes überhaupt ans Licht bringen wird.

2. ERWARTUNGEN HINSICHTLICH DER EXEGESE VON EPH 2,11-18

Abgesehen davon, daß die Exegese eines Textes Aufschluß über das Verständnis dieses Textes selbst zu geben vermag, empfiehlt sich eine Exegese speziell von Eph 2,11-18 auch unter folgenden, den unmittelbaren Text übersteigenden Gesichtspunkten:

---

[4] Vgl. *Abbott*, Eph 80: »The reference is doubtless to the whole preceding exposition about the Gentiles«.

[5] Probleme 350.

[6] Eph 130.

[7] Zur Begründung, daß in die Exegese auch die V. 11-13 einbezogen werden, s. u.!

(1) Wenn das Mysterium, dessen Offenbarung an Paulus bzw. die Apostel und Propheten insgesamt (vgl. 3,3.5) den eschatologischen Wendepunkt markiert, speziell in Eph 2,14-18 theologisch entfaltet ist, wird eine Exegese von Eph 2,11-18 — wie von kaum einer anderen Stelle des Briefes — in der Lage sein, über *die theologische Konzeption des Epheserbriefes* Auskunft zu geben. Hier wird das theologische Denken des Verfassers — sei es nun Paulus selbst oder ein pseudonymer Autor — am deutlichsten greifbar. Das bestätigt auch Eph 3,4, wo der Verfasser im Anschluß an den auf unseren Abschnitt zurückverweisenden V. 3b ausdrücklich feststellt, daß man hier seine »Einsicht in das Mysterium Christi« bei der Lektüre erkennen könne. Diese Einsicht seinen Lesern zu vermitteln, ist das erklärte Ziel des Briefes (vgl. 1,17f; 3,18f).
(2) Von der genauen Erfassung der theologischen Konzeption des Epheserbriefes wird man sich dann auch ein exakteres Urteil in der *Frage der Echtheit des Briefes* erhoffen dürfen. Denn all die sprachlichen und stilistischen Argumente, die man gegen die Echtheit des Briefes ins Feld führt, werden erst dann letztlich stichhaltig, wenn sich zeigen ließe, daß das theologische Denken des Epheserbriefes andere Strukturen aufweist als das der anerkannt echten Paulusbriefe. Schließlich wird die Aufdeckung der theologischen Konzeption eine präzisere *traditionsgeschichtliche Einordnung des Epheserbriefes* ermöglichen. Das gilt insbesondere dann, wenn der Brief nicht von Paulus sein sollte.

Der Aufbau der nun folgenden Untersuchung folgt in etwa dieser zweifachen Fragestellung. Die Analyse und Exegese von Eph 2,11 bis 18 soll zunächst die unmittelbare Aussage des Textes selbst erheben und die darin beschlossenen Grundzüge einer theologischen Konzeption zur Sprache bringen. Der so gewonnene Denkansatz wird sodann mit dem der paulinischen Hauptbriefe verglichen. Der abschließende Versuch einer traditionsgeschichtlichen Einordnung hat nicht nur die Aufgabe, das Bild abzurunden, sondern zugleich auch eine kritische Funktion. Denn nur wenn sich die aus Eph 2,11 bis 18 gewonnene theologische Konzeption auch traditionsgeschichtlich sinnvoll einordnen läßt, wird die geleistete exegetische Interpretation des Textes sich als gültig und richtig erweisen können.

I. Kapitel
Analyse und Exegese von Eph 2,11-18

1. TEXT UND ÜBERSETZUNG VON EPH 2,11-18[1]

V. 11 Διὸ μνημονεύετε
Deshalb erinnert euch,
ὅτι ποτὲ ὑμεῖς τὰ ἔθνη ἐν σαρκί,
daß einst ihr, die Heiden im Fleische,
οἱ λεγόμενοι ἀκροβυστία
die »Unbeschnittenheit« Genannten (so genannt von ...)
ὑπὸ τῆς λεγομένης περιτομῆς ἐν σαρκὶ χειροποιήτου,
von der sogenannten Beschneidung, die im Fleische besteht und mit Händen gemacht ist,

V. 12 ὅτι ἦτε τῷ καιρῷ ἐκείνῳ χωρὶς Χριστοῦ,
daß ihr zu jener Zeit fern von Christus wart,
ἀπηλλοτριωμένοι τῆς πολιτείας τοῦ Ἰσραὴλ
ausgeschlossen aus der Gemeinde Israels
καὶ ξένοι τῶν διαθηκῶν τῆς ἐπαγγελίας,
und fremd den Bündnissen der Verheißung,
ἐλπίδα μὴ ἔχοντες
ohne Hoffnung zu haben
καὶ ἄθεοι ἐν τῷ κόσμῳ.
und ohne Gott in der Welt.

V. 13 νυνὶ δὲ ἐν Χριστῷ Ἰησοῦ
Jetzt aber, in Christus Jesus,
ὑμεῖς οἵ ποτε ὄντες μακρὰν
seid ihr, die ihr einst fern wart,
ἐγενήθητε ἐγγὺς ἐν τῷ αἵματι τοῦ Χριστοῦ.
nahe gekommen in dem Blute Christi.

---

[1] Die Übersetzung schließt sich möglichst eng an den griechischen Text an. Sie soll dem Leser, der das Griechische nicht beherrscht, behilflich sein, den nun zu exegetisierenden Text möglichst adäquat zu erfassen.

V. 14 Αὐτὸς γάρ ἐστιν ἡ εἰρήνη ἡμῶν,
Denn er ist unser Friede,
ὁ ποιήσας τὰ ἀμφότερα ἓν
der die beiden (Bereiche) eins gemacht hat
καὶ τὸ μεσότοιχον τοῦ φραγμοῦ λύσας, τὴν ἔχθραν,
und die Scheidewand des Zaunes abgebrochen hat,
die Feindschaft,

V. 15 ἐν τῇ σαρκὶ αὐτοῦ / τὸν νόμον τῶν ἐντολῶν
ἐν δόγμασιν καταργήσας,
indem er in seinem Fleische / das Gesetz der
in Satzungen bestehenden Gebote vernichtet hat,
ἵνα τοὺς δύο κτίσῃ ἐν αὐτῷ εἰς ἕνα καινὸν
ἄνθρωπον ποιῶν εἰρήνην,
damit er die zwei in sich zu einem neuen Menschen
schaffe, indem er Frieden macht,

V. 16 καὶ ἀποκαταλλάξῃ τοὺς ἀμφοτέρους ἐν ἑνὶ σώματι
τῷ θεῷ διὰ τοῦ σταυροῦ, ἀποκτείνας τὴν ἔχθραν
ἐν αὐτῷ·
und (damit) er die beiden in seinem Leibe
mit Gott versöhne durch das Kreuz, nachdem er
in ihm (oder: sich) die Feindschaft getötet hatte;

V. 17 καὶ ἐλθὼν εὐηγγελίσατο εἰρήνην ὑμῖν τοῖς μακρὰν
καὶ εἰρήνην τοῖς ἐγγύς·
und er kam und verkündigte Frieden euch, den Fernen,
und Frieden den Nahen;

V. 18 ὅτι δι' αὐτοῦ ἔχομεν τὴν προσαγωγὴν οἱ ἀμφότεροι
ἐν ἑνὶ πνεύματι πρὸς τὸν πατέρα.
denn durch ihn haben wir beide in einem Geiste
den Zugang zum Vater.

Textkritisch bietet Eph 2,11-18 keine Schwierigkeiten.[2]

---

[2] Sachlich bedeutsam wäre nur die von p 46 und G vertretene Lesart in V. 15 (κοινόν anstelle von καινόν), die jedoch textkritisch nicht haltbar ist. *The Greek New Testament* bietet zu Eph 2,11-18 bezeichnenderweise überhaupt keine Varianten.

2. STRUKTUR DES TEXTES

Die Struktur von Eph 2,11-18 ist relativ leicht zu erkennen. Deutlich hebt sich V. 14-18 als Einheit heraus. Daß es sich hier um einen *Exkurs* handelt, hat schon *E. Haupt* u. a. festgestellt.[1] In neuerer Zeit hat man mehrfach dafür plädiert, der Verfasser habe hier einen traditionellen Hymnus verarbeitet und interpretiert. Zu nennen sind: *G. Schille*,[2] *J. T. Sanders*[3] und *J. Gnilka*.[4] Während jedoch die Rekonstruktionen der ersten beiden, die nach mehr formalen Gesichtspunkten vorgehen, inhaltlich kein sinnvolles Ganzes ergeben, bleibt die Rekonstruktion des letzteren, der vorwiegend mit inhaltlichen Kriterien arbeitet, wegen der dabei vorauszusetzenden Interpretationsmethode auf seiten des Eph-Autors nicht überzeugend.[5] Höchstens für V. 14 (bis λύσας = »abgebrochen hat«) läßt sich im Anschluß an Sanders ein hymnisches Fragment vermuten.[6] So wird man Eph 2,14-18 zunächst als Komposition des Verfassers auszulegen haben. Das will freilich nicht leugnen, daß auch die darin enthaltenen Aussagen ihren traditionsgeschichtlichen Ort und Zusammenhang haben. Darauf ist im zweiten Kapitel zurückzukommen.

Daß es sich in V. 14-18 um einen Exkurs handelt, zeigt auch V. 13, der bereits das Jes-Zitat (57,19) von V. 17 im Auge hat. Offensichtlich schien dem Verfasser das Zitat geeignet, um das in V. 11f implizierte Problem einer theologischen Lösung zuzuführen. Er entschließt sich zu einem Exkurs, der ihm eine christologische An-

---

[1] *Haupt*, Eph 74f; *Ewald*, Eph 144; *Dibelius*, Eph 69; *Conzelmann*, Eph 68.

[2] Hymnen 24-31.

[3] Hymnic Elements 216-218; Christological Hymns 14f (vgl. 88-92).

[4] Friede; Eph 147-152.

[5] Vgl. neben der Kritik an *Schille* bei *Deichgräber*, Gotteshymnus 165 bis 167, meinen Aufsatz ›Zur Tradition und Komposition von Eph 2,14 bis 18: BZ NF 17 (1973) 79-102.

[6] S. meinen Aufsatz, aaO. 87. – Doch ist diese Vermutung keineswegs sicher. Vor allem die erste Zeile (»Denn er ist unser Friede«) könnte trotz des vorangestellten αὐτός (»er«) Bildung des Verfassers sein: vgl. Eph 4,10f; 5,23!

wendung des Zitates ermöglicht.[7] Aus dem Gesagten ergibt sich, daß eine Exegese von V. 14-18 auch die V. 11-13 einzubeziehen hat. Aus ihnen ergibt sich die Fragestellung, unter der V. 14-18 auszulegen ist. Ihrer Struktur nach sind die V. 11-13 klar aufgebaut. V. 11f erläutert die vorchristliche Situation der Heiden im Kontrast zur Situation der Juden. V. 13 zeigt die positive Wandlung, die jetzt — in Christus — eingetreten ist. Der Abschnitt, der sich an den Exkurs anschließt (= V. 19-22), ist sachlich und strukturmäßig eigentlich zum Vorausgehenden dazuzurechnen. Er bildet eine letzte Schlußfolgerung aus den Aussagen von V. 14-18. Für unsere Fragestellung, wie der Verfasser das Zustandekommen der Kirche aus Juden und Heiden (vgl. das Mysterium in Eph 3,6!) theologisch beurteilt, trägt er jedoch wenig aus und kann deshalb hier ausgeklammert werden.[8]
Da eine detaillierte Strukturanalyse des Textes auch exegetische Fragen impliziert, ist darauf im Laufe der Einzelexegese einzugehen.

3. EINZELEXEGESE VON EPH 2,11-18

3.1. Vers 11-13: Die Situation der Heiden einst und jetzt

3.1.1. Vers 11f: Die einstige Situation

3.1.1.1. Vers 11

Nachdem der Verfasser schon in 2,1-10 seinen Lesern die Größe ihrer Berufung am Dunkel des einstigen Zustandes erläutert hatte, lenkt er mit »Deshalb erinnert euch« von neuem ihre Aufmerksam-

---

[7] *Conzelmann,* Eph 68, spricht von einem »christologischen Einschub in Form einer Exegese von Jes. 57,19«. Doch ist hier besser von einer christologischen Anwendung als von einer Exegese des Zitates zu sprechen. Im letzten Fall würde man eher eine Voranstellung des Zitates erwarten nach dem Beispiel von Eph 4,8ff.

[8] Vgl. dazu meine Dissertation »Das kirchliche Amt nach dem Epheserbrief«, München 1973, 118-158.

keit zurück in das Ehedem. Mit der Anrede »ihr« wendet er sich speziell an seine heidenchristlichen Leser. Der ganze V. 11 dient der Charakterisierung dessen, was sie einst waren. Zuerst werden sie »die Heiden im Fleisch« genannt.[1] Damit ist eigentlich nicht gemeint: »damals waren sie nur ›Heiden im Fleische‹«[2]. Im Fleische sind sie auch jetzt noch Heiden, da sie nicht beschnitten sind. Die Hinzufügung von »im Fleische« besagt vielmehr, daß der Begriff »Heiden« (als Gegenüberstellung zu den Juden) eine »fleischliche« Kategorie ist, die unter christlichem Gesichtspunkt ihre Berechtigung verloren hat. Dasselbe kommt zum Ausdruck, wenn »Unbeschnittenheit« und »Beschneidung« als »sogenannte« qualifiziert werden. Die Kategorie der »Unbeschnittenheit« (= Heiden) ist jetzt unbedeutsam geworden und hat nur im Munde (ὑπό) der »sogenannten Beschneidung« (= Juden) Gültigkeit und Wert. Das wird dadurch unterstrichen, daß die »Beschneidung« als »mit Händen gemacht« charakterisiert wird.[3] Von Menschen gemacht, hat sie nur für Menschen Bedeutung, nicht aber vor Gott.[4] V. 11 stellt also die einstige Kategorialisierung der Menschheit vor Augen. Da diese Kategorien nur menschliche oder »fleischliche« sind, haben sie im jetzigen Zustand keinerlei Bedeutung mehr. Die Begriffe »Beschneidung« und »Unbeschnittenheit« (Vorhaut) sind somit durchaus negativ gesehen. Das ist zu beachten, will man V. 12 recht verstehen.

3.1.1.2. Vers 12

V. 12 vergleicht das Verhältnis der beiden Kategorien des Einst, wobei die Kategorie der »Unbeschnittenheit« den Schwerpunkt bildet. »Zu jener Zeit wart ihr fern von Christus« gibt in prägnanter und programmatischer Weise die Situation wieder. Die folgenden vier Ausdrücke exemplifizieren diesen Satz, wobei der erste und

---

[1] Die Wiederholung des Artikels im Griechischen kann hier unterbleiben, vgl. Bl-Debr § 272; *Schlier*, Eph 119 Anm. 2; *Mußner*, Christus 77 Anm. 1.

[2] So *Schlier*, Eph 119.

[3] Nach *Sahlin*, Beschneidung, geht es hier um eine Gegenüberstellung von jüdischer und christlicher Beschneidung (= Taufe). Doch muß das mehr in die Stelle hineingelesen werden, als es aus ihr herausgefunden werden kann.

[4] *Schlier*, Eph 119: »abwertender Sinn«.

zweite, sowie der dritte und vierte — durch »und« enger verbunden — zusammengehören. Die beiden »und« sind epexegetiv oder besser noch konsekutiv[5] zu verstehen. »Zu jener Zeit«[6] hat die gleiche Bedeutung wie »einst«.

»Fern von Christus«: F. Mußner ist der Ansicht, »Christus« meine hier nicht Jesus Christus, sondern lediglich den Messias.[7] Er führt dafür zwei Gründe an: (1) »Der Textzusammenhang zeigt, daß es bei ›fern von Chr.‹ nur um etwas geht, was auf die Juden nicht zutrifft, sondern nur auf die Heiden«; getrennt von Jesus waren auch die Juden, nicht aber ohne »Messiashoffnung«. (2) V. 13, wo vom jetzigen Zustand die Rede ist, heißt es »in Christus *Jesus«*. »›Christus‹ ist also V. 12 noch reiner Amtsname = der Messias, der den Juden verheißen war«[8].

Das ist jedoch nicht stichhaltig. Denn die Leser, bereits Christen — hier sind noch dazu Heidenchristen angesprochen! —, konnten »fern von Christus« kaum anders als von Jesus Christus verstehen. Das wird bestätigt durch die übrige Verwendung des bloßen »Christus«-Titels (ohne »Jesus«) im Epheserbrief.[9]

Die hier angesprochene vorchristliche Situation der Heiden läßt sich im Vergleich zur vorchristlichen Situation der Juden genauer fassen. Die Juden waren zwar auch nicht »in Christus« im strikten Sinn. Aber sie waren auch nicht »fern von Christus« wie die Heiden.[10] Irgendwie müssen sie in näherer Beziehung zum jetzigen Zustand des »In Christus« gestanden haben. Dies kann seinen Grund aber nicht in der »Beschneidung« gehabt haben, da diese in V. 11 in ganz negativem Licht erscheint. Wenn aber »Beschneidung« und »Unbeschnittenheit« nicht die Ursachen für Nähe oder Ferne zum »In Christus«-Zustand sind, dann dienen diese beiden Begriffe (in rein formaler Weise) allein dazu, zwei Bereiche zu umgrenzen (de-

---

[5] Vgl. Bl-Debr § 442,2 (9).

[6] Im Griechischen handelt es sich um einen temporalen Dativ, vgl. Bl-Debr § 200,4.

[7] Christus 77; so jetzt auch *Gnilka,* Eph 135.

[8] *Mußner,* aaO. (die in halben Anführungszeichen stehenden Worte sind im Original griechisch).

[9] Eph 1,3.10.12.20; 2,5; 3,4.8.17.19; 4,7.12.13.15.20; 5,2.5.14.21.23. 24.25.29.32; 6,5.6.

[10] Nach Eph 1,12 sind sie »in Christus Voraushoffende«.

finieren), innerhalb derer es etwas gibt, was den einen irgendwie zum »In Christus« in Beziehung setzt, den anderen aber beziehungslos sein läßt. Was dies ist, wird das folgende erläutern.

»Ausgeschlossen aus der Gemeinde Israels und fremd den Bündnissen der Verheißung«: Das begründet den vorausgehenden Satz. »Gemeinde Israels« wird entweder auf die Kirche[11] oder auf das physische Israel[12] gedeutet. Dabei könnte man doch streiten, ob das zugrundeliegende griechische Wort πολιτεία das Bürgerrecht[13] oder Gemeinde, Gemeinwesen, Gemeinschaft[14] meint. Auf keinen Fall darf man darin einen staatsrechtlichen Begriff sehen.[15] Ein staatsrechtliches Gebilde Israel gab es in christlicher Zeit nicht mehr, folglich auch kein Bürgerrecht im wörtlichen Sinne, da dies immer einen Staat voraussetzt.[16] Bevor eine genauere Entscheidung getroffen werden kann, ist ein Blick auf die zweite Hälfte des zu besprechenden Ausdrucks zu werfen.

Mit den »Bündnissen« sind die »Verfügungen, Zusicherungen«[17] gemeint, womit Gott seinem Volk die Verheißung gegeben hat. Der Plural bringt die »Entfaltungen und konkrete(n) Anweisungen der einen und doch vielfältigen Zusage Gottes an Israel«[18] zum Ausdruck.[19] »Verheißung« (ἐπαγγελία) kann das Verheißungswort, das erst in Erfüllung gehen soll, oder das Verheißungsgut, das man bereits innehat, sein. Die Deutung wird sehr von der des Israel-Begriffes abhängen. Versteht man unter »Israel« das physische Israel, dann ist »Verheißungswort« zu bevorzugen, versteht man darunter

---

11 *Hanson,* Unity 142; vgl. *Bieder,* Ekklesia 23.

12 So die meisten; vgl. *Dibelius,* Eph 68.

13 So die Kommentare von *Haupt, Ewald, Henle, Schlatter;* vgl. *Mußner,* Christus 78. Zu dieser Bedeutung vgl. Apg 22,28.

14 So *Schlier,* Eph 120; des weiteren die Kommentare von *Klöpper, Soden, Abbott, Belser, Meinertz, Scott, Dibelius,* u. a.

15 Gegen *Mußner,* Christus 78.

16 Vgl. dazu *Strathmann,* ThW VI 534f.

17 *Bauer,* 363,2.

18 *Schlier,* Eph 120. Der Plural ist im NT singulär, doch häufig im Jubiläenbuch (vgl. *Kirby,* Ephesians 184f).

19 *Dibelius,* Eph 68, verweist auf die Verwandtschaft mit dem Begriff der Verheißung; dort auch weitere Literatur. Zur Geschichte des Begriffs s. *Behm-Quell,* ThW II 106-137.

die Kirche, dann eher »Verheißungsgut«. Eines ist jedoch in jedem Falle zu berücksichtigen: »Verheißung« hat keine »alttestamentliche Vorgeschichte«[20], stammt also hier aus christlicher Tradition. Selbst wenn man also unter Israel das physische versteht, ist die Verbindung mit Verheißung eine christliche Rückprojektion. Das heißt, auch wenn »Verheißung« hier das Verheißungswort sein sollte, hat es für den Epheserbrief eine christliche Sinnspitze: es ist das Verheißungswort, das jetzt in Christus erfüllt ist.

Zur Interpretation des Gesamtausdruckes ist der Zusammenhang zu berücksichtigen. Drei Dinge ergeben sich:

(1) Zwischen Israel und Verheißung besteht ein Zusammenhang. Der kann nur so zu fassen sein, daß die göttliche Zusprache der Verheißung konstitutiv für »Israel« ist. Hinter »Israel« steht also die Gottesvolkidee, das heißt der Gedanke an das Volk, das durch Gottes Ruf und Verheißung zustandekommt. Die Heiden waren »fern von Christus«, weil sie fern waren dem Gemeinwesen, das unter der Gottesvolkidee stand.

(2) »Gemeinde Israels« kann nicht einfachhin gleichgesetzt werden mit dem physischen Israel, denn sonst müßte es sich mit dem (negativ bewerteten) Begriff »Beschneidung« (V. 11) decken. Konstitutiv für Israel ist nicht die Beschneidung, sondern die Verheißung.[21] Die Situation der Juden wäre dann auf Grund von V. 12 so zu beschreiben: Sie, die »Beschneidung«, waren auch damals nicht »fern von Christus«, sondern in Beziehung zum In-Christus-Sein, weil »Beschneidung« eine Gemeinschaft umgrenzte (nicht begründete!), die unter der Idee des Gottesvolkes stand, dem die jetzt erfüllte Verheißung Konstitutivum war. »Verheißung« meint also letzten Endes doch die Verheißung, die jetzt in der Kirche in Erfüllung gegangen ist.

(3) Unter diesem Verständnis kann man den Satz auch mühelos umkehren, und damit schon manches Vorverständnis für V. 13 gewinnen: Jetzt sind die Heiden »in Christus«, weil sie zu einem Gemeinwesen gehören, das unter der Idee des Gottesvolkes steht, näm-

---

[20] *Schniewind - Friedrich,* ThW II 575,16.

[21] Eine Beteuerung, daß die Beschneidung bloß nachfolgendes Zeichen sei, wie etwa Röm 4,9ff, ist für Eph bereits zur Selbstverständlichkeit geworden.

lich zur Kirche. »In Christus« und »fern von Christus« sind hier ekklesiologische Formeln.[22]

Für die einzelnen, anfangs strittigen Begriffe lassen sich diese Beobachtungen zusammenfassen:

»Gemeinde Israels« kann weder mit dem physischen Israel (der »Beschneidung«) noch mit der Kirche einfachhin identifiziert werden. Für den Epheserbrief ist es kein konkreter, sondern ein theologischer Begriff, der von der Idee des in der Verheißung begründeten Gottesvolkes getragen wird. Sofern innerhalb des mit »Beschneidung« zu umgrenzenden Gebildes die Idee des Gottesvolkes lebendig war, die jetzt aus christlicher Sicht mit dem Begriff der »Verheißung« umschrieben werden kann, kann der Verfasser die »Beschneidung« mit der »Gemeinde Israels« in Zusammenhang bringen und sagen, daß die Heiden getrennt waren von diesem Israel. Sofern aber die »Verheißung« auf das »in Christus« begründete eschatologische Gottesvolk der Kirche hintendiert, realisiert sich »Gemeinde Israels« in der Kirche.[23] Das heißt, die Heiden sind dadurch, daß sie zur Kirche stoßen, nicht mehr getrennt von Israel. »Israel« steht demnach unter dem Blickpunkt des Eschatons Ekklesia.

Dementsprechend ist »Verheißung« das Wort oder der Ruf Gottes, der Gottes Volk zur Existenz bringt, der sich also letztgültig in der Kirche realisiert. Auch dieser Begriff ist damit ein eschatologisch-ekklesiologischer.[24]

Diese ekklesiologische Sicht schon in den ersten Versen unseres Abschnittes muß ganz scharf herausgestellt werden, soll die folgende Exegese prägnant bleiben. Ganz besonders ist die ekklesiologische Bedeutung von »fern von Christus« und »in Christus« (V. 13) zu betonen. Würde man nämlich diese Ausdrücke primär christologisch-soteriologisch verstehen, fiele die ganze Gegenüberstellung der VV. 11.12 dahin. Denn unter diesem Gesichtspunkt sind »Beschneidung« und »Unbeschnittenheit« absolut gleich, wie Eph 2,1-10 deutlich zeigt. Der Unterschied wird nur unter ekklesiologischem

---

[22] Die Feststellung *Bultmanns*, Theologie 312, »in Christus« sei »primär eine *ekklesiologische* Formel«, trifft hier sicherlich zu.

[23] So auch *Gnilka*, Eph 135.

[24] Vgl. *Gaugler*, Eph 103f.

Blickpunkt relevant. Soteriologisch wird dieser unter ekklesiologischem Aspekt gewonnene Unterschied erst in sekundärer Weise bedeutsam, insofern nämlich von denen, die beide im Unheilszustand waren, die einen Hoffnung auf das Heil gewinnen konnten, während die anderen ihr Unheil ohne solche Hoffnung ertragen mußten. Das ist offensichtlich im folgenden ausgedrückt.

»Ohne Hoffnung zu haben und ohne Gott in der Welt«: Es handelt sich hier um eine zweite Exemplifikation zu »fern von Christus«. Die Hoffnungslosigkeit resultiert aus der fehlenden Beziehung zur Idee des Gottesvolkes. Demzufolge[25] sind die Heiden ganz und ausschließlich auf den Kosmos verwiesen, auf die Welt, wie sie sich den natürlichen menschlichen Erfahrungen bietet, die als finstere Gewalten — »Tod, Geister, Sünde«[26] — ins Leben des Menschen treten. Als solche sind die Heiden »gottlos«[27], da die Götter, die sie verehren, zum Kosmos gehören und nicht in der Lage sind, sie über die dunkle Erfahrung des Kosmos hinauszuführen.[28]

3.1.1.3. Zur Antithetik in V. 11f

Die Frage, wer sich in V. 11f gegenübersteht — Juden/Heiden oder Judenchristen (Kirche)/Heiden —, wird von den Kommentatoren verschieden beantwortet:

M. Dibelius sieht hier »das Verhältnis der früheren Heiden zu den Judenchristen behandelt«[29]. Inkonsequent ist er allerdings, wenn er bei der Einzelauslegung bemerkt, daß »das Heidentum hier nicht ... mit christlichen Augen betrachtet« wird und V. 12 überhaupt keine »christliche Sicht« bietet. *St. Hanson* war hier konsequenter und hat »Gemeinde Israels« auf die Kirche gedeutet.[30] *F. Mußner* vertritt am klarsten die gegenteilige Position (Juden/Heiden)[31] bis zur Konsequenz, daß »Christus« bloßer Messiastitel sei.

---

[25] Konsekutives »und«!

[26] *Dibelius,* Eph 69.

[27] Zur Vorstellung der Gottlosigkeit vgl. *Fascher,* Gottlosigkeit (zu Eph 2,12 S. 103).

[28] Vgl. zum ganzen auch *Gnilka,* Eph 136f.

[29] Eph 68.

[30] Unity 142.

[31] Christus 78 Anm. 9.

Diese Differenzen kommen daher, daß man den Standpunkt des Autors zwar im christlichen »Jetzt« lokalisiert, aber seine Blickweise nicht eindeutig (ekklesiologisch!) formuliert hat. Zu *M. Dibelius* ist zu sagen: Nach V. 11 geht es zweifellos um den Gegensatz Juden (»Beschneidung«) — Heiden (»Unbeschnittenheit«). Doch wird der »Vorzug« der Juden nicht als ein Vorzug geschildert, der ihnen qua Juden anhaftet. Diesen Eindruck gewinnt man bei *F. Mußner.* Der Verfasser erkennt jedoch keineswegs an, was die (zeitgenössischen) Juden als Privileg vor den Heiden für sich in Anspruch nehmen. Denn erst aus der Sicht der Kirche wird erkennbar, was für die Juden ein wirklicher Vorteil vor den Heiden war: die »Verheißung«! Der Vorteil besteht also nicht von den Juden (»Beschneidung«) her, sondern von der Kirche her. Vom »Jetzt« aus wird die ekklesiologische Relevanz bzw. Irrelevanz der ansonsten unbedeutsamen, einstigen Kategorien erkennbar.

V. 11f stellt also Juden und Heiden gegenüber, wobei sich die Antithetik aber nur aus der Sicht der Ekklesia ergibt und auch in der Ekklesia begründet ist.

3.1.2. Vers 13: Die Aufhebung des »Einst« im »Jetzt«

»Jetzt« bildet den Gegensatz zum »einst« von V. 11.[32] Es bezeichnet das im Heilsraum Kirche begründete Eschaton der Geschichte. Dabei ist es für die Auslegung des Verses von untergeordneter Bedeutung, ob hier an die existentielle Geschichte der Leser oder an die objektive Weltgeschichte gedacht ist.[33]

»In Christus Jesus«: Rein grammatisch gibt es drei Verständnismöglichkeiten:

(1) Lokale Bedeutung: »Christus gibt den ›Ort‹ an, an dem man Gott nahe ist. Christus ist selbst der ›Raum‹ der Nähe Gottes«. So *H. Schlier.*[34]

(2) Instrumentale Bedeutung: So *F. Büchsel,*[35] *J. A. Allan.*[36]

---

[32] Vgl. »zu jener Zeit« V. 12.

[33] Zur Bedeutung des »jetzt« im Eph überhaupt vgl. meine Dissertation »Das kirchliche Amt nach dem Epheserbrief«, München 1973, 181-187.

[34] Eph 122.

[35] »In Christus« 141-158, hier 145.

[36] ›In Christ‹ Formula, 57 (d) und 58.

(3) »Mystisch-modal(e)« Bedeutung: So *F. Mußner.*[37]

Zur Beurteilung ist zweierlei zu beachten:

(1) »In Christus Jesus« ist antithetischer Parallelismus zu »fern von Christus« (V. 12). Ein rein instrumentales Verständnis wird dieser Antithetik nicht gerecht. »In Christus Jesus« muß wenigstens modale Bedeutung haben, im Sinne der von *Büchsel* aufgestellten Kategorien.[38] Für unsere Stelle würde das heißen, daß die Heidenchristen jetzt »in einem durch Christus eindeutig bestimmten Zustand«[39] sind. Dem Parallelismus gerecht würde aber auch die lokale Deutung im Sinne *Schliers.*

(2) Dem Sprachempfinden nach ist im Griechischen nach »in Christus Jesus« eine Zäsur anzusetzen. Das legt einmal der genannte Parallelismus nahe, da auch »fern von Christus« — durch das Verbum »ihr wart« eigens ausgewiesen — einen selbständigen Satzteil bildete. Ferner könnte — ohne Annahme einer Zäsur — »in Christus« nur zu »ihr seid nahe gekommen« (ἐγενήθητε ἐγγύς) gezogen werden. Das aber ist in zweifacher Weise unpassend. Einmal würde durch das Verbum (γίνεσθαι) wieder instrumentale Bedeutung nahegelegt, die oben ausgeschieden werden mußte. Sodann würde V. 13 auch sprachlich schwerfällig werden, indem das Instrumentum des Nahegekommenseins zweimal genannt würde (vgl. »in dem Blute Christi«). So ist eine Zäsur anzunehmen. Die Aussage von V. 13 ist dann prägnant folgendermaßen zu formulieren: »Jetzt aber seid ihr in Christus Jesus: Ihr, die ihr einst fern wart, seid nahe gekommen im Blute Christi.«

Es ergibt sich, daß eigentlich nur lokale oder modale Bedeutung in Frage kommt. Sachlich beinhaltet das keinen großen Unterschied. Denn es dürfte ziemlich gleichgültig sein, ob man sagt, die (Heiden-)Christen sind nun »im Bereich des Christus« (lokal) oder »in einem Zustand, der durch Christus eindeutig bestimmt ist« (modal). Theologisch ist klar, daß mit dem Bereich oder mit dem Zustand nur die Kirche gemeint sein kann. Vielleicht bietet sich insgesamt vom Epheserbrief her, der auch sonst gerne in räumlichen Kategorien denkt, eher die lokale Bedeutung an.

Abzulehnen ist sicherlich die Kategorie der mystischen Verbundenheit im Sinne der »Christ-Innigkeit«, wie sie *A. Deissmann* in der Formel sehen möchte.[40] Zumindest für den Epheserbrief paßt das nicht. Insofern ist

---

[37] Christus 80 Anm. 13.

[38] s. Anm. 35.

[39] *Büchsel,* aaO. 151

[40] Paulus 112.

auch die Kombination von *Mußner* aus »mystisch« und »modal« wenigstens sprachlich verunglückt.

»Ihr, die ihr fern wart, seid nahe gekommen im Blute Christi«: Der Satz ist an LXX Jes 57,19 angeglichen. Dort sind die »Fernen« die im Exil befindlichen, die »Nahen« aber die bereits heimgekehrten Juden.[41] Das rabbinische Verständnis wendet die Termini auf Juden und Heiden an (Midrasch NumR 8 [149 d]; Midrasch Est 3,9 [96a]).[42] Unsere Stelle setzt dieses Verständnis voraus. Doch ist auch zu differenzieren. Der Verfasser will ja nicht sagen, daß die ehemaligen Heiden nun Juden geworden sind. Die Begriffe sind zwar die jüdischen, aber der Verfasser sieht sie ganz aus seiner (christlich-ekklesiologischen) Sicht. Erst von Christus her werden sie in ihrer ganzen Bedeutung verifizierbar. Außerdem ist zu betonen, daß die Juden nicht qua Juden »Nahe« waren, genausowenig wie die Heiden qua Heiden »Ferne« waren. Nahe waren die Juden, insofern sie unter der Gottesvolkidee standen. Deswegen kann der Epheserbrief sagen, daß die Heiden jetzt nahe gekommen sind, weil sie jetzt in Christus zur Kirche gehören. Sie stehen jetzt in einer Gemeinschaft, in der sich die Gottesvolkidee — das ist das, was Israel als Gottesvolk erhoffte — realisiert.[43] Präzis ausgedrückt, ist also »nahe« (ἐγγύς) ein eschatologischer Begriff. In Hinsicht auf den Bereich der »Beschneidung«, der sich kraft der »Bündnisse der Verheißung« als Gottes Volk »nahe« wußte, beinhaltet er in eschatologischer Transzendenz die Realisation der Nähe im Gottesvolk der Kirche. Von daher versteht man, wenn der Verfasser des Epheserbriefes voll Staunen bekunden kann, daß nun auch die »Fernen« — die Heiden — in diesen Bereich der eschatologischen Nähe gerückt sind.

»Ihr seid nahe gekommen« wird von einigen auf die Taufe bezogen.[44] Das ist möglich. Dann würde von V. 14 an die existentielle

---

41 Vgl. *Westermann,* Jes (Kap. 40-66) 263.

42 Vgl. Billerbeck III 586. Zur Qumran-Terminologie vgl. *Gnilka,* Eph 137.

43 »Eph 2,11-22 bildet geradezu den Höhepunkt und die klassische Zusammenfassung der neutestamentlichen Gottesvolk-Theologie« *(Mußner,* Volk Gottes 176).

44 So *Mußner,* Christus 80; *Schlier,* Eph 122; *Gnilka,* Eph 137.

Sprechweise in eine objektive übergehen. Ebensogut denkbar ist aber auch, daß schon V. 13 das im Kreuzestod Christi begründete objektive Geschehen im Auge hat.

»In dem Blute Christi« hat instrumentale Bedeutung.[45] Inhaltlich meint der Ausdruck den Tod Christi am Kreuz, wo er sein Blut vergossen hat.[46] Alle weitergehenden Spekulationen, die sich aus der Verwendung des Begriffes »Blut« in anderen neutestamentlichen Stellen ergeben, beiseitelassend,[47] hat die Wendung hier die präzise Funktion, das Nahegekommensein der Heiden, bzw. die Einheit der Kirche, in der Kreuzestat Christi zu lokalisieren und zu begründen.[48]

3.1.3. Zusammenfassung der Aussage von V. 11-13

Der Verfasser will seinen heidenchristlichen Lesern die Größe ihrer Berufung im »Jetzt« vor Augen stellen. Er tut das unter ekklesiologischem Aspekt. Zunächst erinnert er an die Kategorialisierung der Menschheit im »Einst«. Es gab »Beschneidung« und »Unbeschnittenheit«. Dabei will er nicht sagen, daß der heidnische Zustand der Unbeschnittenheit als solcher einen Mangel darstellt. »Beschneidung« und »Unbeschnittenheit« sind nur menschliche Kategorien des »Fleisches«, so daß auch die »Beschneidung« als »von Händen gemacht« keinerlei Bedeutung haben und keinen Vorzug begründen kann. Aber indem der Eph-Autor von seinem jetzigen Standpunkt aus zurückschaut, von der Kirche, die er als in Christus geschehene Realisation des Gottesvolkes Israel begreift, sieht er deutlich, daß die beiden genannten, an sich wertlosen Kategorien die Grenzen zweier Bereiche bilden, die sich unter ekklesiologischem Gesichtspunkt doch eminent unterscheiden. Der von »Beschneidung« um-

---

[45] Vgl. *Schlier*, Eph 122.

[46] *Behm*, ThW I 173,30ff: »Das Interesse des NT haftet nicht an dem Blute Christi als Stoff ... ›Blut Christi‹ ist wie ›Kreuz‹ nur ein anderer, anschaulicherer Ausdruck für den Tod Christi in seiner Heilsbedeutung«.

[47] Vgl. z. B. *Schlier*, Eph 122. Abwegig ist die Parallelisierung zum Sühnopfer des Proselyten (so *Sahlin*, Beschneidung 12; *Kirby*, Ephesians 157f).

[48] Vgl. Apg 20,28.

grenzte Bereich war nicht »fern von Christus«. Denn die darin Beschlossenen lebten unter dem Existential »Israel«, das heißt von dem Bewußtsein, berufenes Volk Gottes zu sein, dessen Ruf immer Gültigkeit behält und jetzt letzte Gültigkeit in der Kirche empfängt. Jetzt erweist sich Gottes Ruf als »Verheißung«, die sich in Christus erfüllt hat. So konnte der Bereich der Juden wegen der in ihm lebendigen Tendenz — die sich jetzt als Tendenz zur Kirche herausstellt — Hoffnung haben, aus dem Eph 2,1ff geschilderten Unheilszustand herauszukommen. Ganz anders war das bei den Heiden. In ihren Bereich fiel nicht das Licht der »Verheißung« und »Israels«. Allein auf die Welt und nicht auf Gott gestellt, stürzte sie ihr eigenes Unheil in Hoffnungslosigkeit. Aus dieser Trostlosigkeit heraus können nun die Leser ermessen, was Großes es für sie bedeutet, daß sie jetzt durch Christi Tod am Kreuz nahe gekommen sind, indem sich auch für sie realisierte, was »Verheißung« und »Israel« — ihnen als »Unbeschnittenheit« total fremd — intendierte.

Aus dieser Sehweise des Verfassers heraus ist verständlich, daß für ihn etwa das Problem des Römerbriefes (vgl. besonders Kap. 9-11), warum nur ein Teil Israels nicht gläubig wurde, nicht aktuell werden konnte. Seine Betrachtung geht von der Kirche aus und ist grundsätzlicher Art. Von der Kirche aus sind eben die Juden qua Israel, gleichgültig ob sie nun gläubig wurden oder nicht, in Tendenz zur Kirche. Von da aus versteht man dann auch, daß er in den folgenden Versen die beiden Bereiche zu zwei einander ausschließenden Größen objektivieren kann, ohne Rücksicht auf den Einzelmenschen. In den Hauptbriefen ist eine solche Objektivierung nicht zu finden. Doch diese Unterschiede sollen später erörtert werden.

Jetzt, in der Kirche aus Juden und Heiden, bewahrheitet und verwirklicht sich in eschatologischer und damit alles bisherige Denken und Verständnis übersteigender Weise, was Jes 57,19 andeutete und ansprach: »Friede«, das heißt die »Fernen« sind »Nahe« geworden. Das Jes-Wort, auf das V. 13 anspielt, veranlaßt den Verfasser nun zu einem Exkurs.

3.2. Vers 14-18: Die Bedeutung der Tat Christi für Juden und Heiden[1]

Entscheidend für eine präzise Interpretation dieser Verse ist eine exakte Bestimmung der Fragestellung, die den Verfasser zu seinem Exkurs veranlaßt hat. Sie ergibt sich aus V. 13, da unser Abschnitt eben diesen Vers erklären will (vgl. »denn« in V. 14!): »Wie können die ›Fernen‹ ›Nahe‹ werden, das heißt dem eschatologischen Israel ›Kirche‹ eingegliedert werden?«. Da es nicht nur um eine einseitige Bewegung der Heiden geht, kann man noch präzisieren: »Wie können Juden *und* Heiden eschatologisches Gottesvolk sein?«, wobei sich das theologische Problem für den Epheserbrief gerade aus der Kopula — dem Zusammen von Juden und Heiden — ergibt. Da der Begriff der »Nähe« eschatologisch gefüllt ist, kann diese primär ekklesiologische Fragestellung auch soteriologisch formuliert werden: »Wie können Juden *und* Heiden zusammen mit Gott versöhnt werden?«, wobei wiederum die Kopula das theologische Problem enthält.[2]
Es ergibt sich zweierlei:

(1) Die Fragestellung läßt erwarten, daß aus den Versen etwas über das Verhältnis von Ekklesiologie und Soteriologie zu erfahren ist, wie es sich nach dem Verständnis bzw. der Konzeption des Verfassers darstellt.

(2) Die aus V. 14-18 oftmals herausgelesene doppelte Tendenz des Textes — Friede zwischen Gott und Menschheit einerseits und Friede zwischen Juden und Heiden andererseits[3] — ist in ihrem ersten Punkt dahingehend zu präzisieren, daß es eigentlich nicht um das theologische Problem geht, wie Gott und Menschheit miteinander versöhnt werden, sondern darum, wie Juden *und* Heiden mit Gott versöhnt werden. Das wurde nicht immer beachtet.

---

1 Zur Struktur des Abschnittes vgl. *Schlier,* Eph 122f.

2 Unter moderner Problemstellung (Verhältnis Kirche — Israel) ist die Sache bei *Barth,* Israel gesehen. Die engagierte Arbeit ist jedoch exegetisch nicht überzeugend.

3 Vgl. *Haupt,* Eph 75; *Dibelius,* Eph 69.

3.2.1. Vers 14-15a: Sachliche Beschreibung der Tat Christi

3.2.1.1. Vers 14a

»Denn er ist unser Friede« gibt prägnant, programmatisch und thesenartig Antwort auf die sich aus V. 13 ergebende Fragestellung. Damit ist V. 14a »Generalthema«[4] der folgenden Ausführungen. Das im griechischen Text betont an den Anfang gestellte »Er« (αὐτός) stellt Christus in die Mitte des Blickfeldes: Die oben genannten Fragen beantworten, heißt, von Christus sprechen. »Unser Friede« hat Parallelen in der rabbinischen Überlieferung, wo der Friede auf den Messias gedeutet wird.[5] Da die vorausgehenden Verse von zwei gegensätzlichen Gruppen und ihrem Zusammenkommen sprachen, ist hier primär an Christus als den Frieden zwischen Juden und Heiden zu denken. Da dieses Zusammenkommen (in der Kirche) jedoch auf einer, die einstige Situation transzendierenden Ebene zustandekommt, impliziert V. 14a die Aussage von V. 17 über den »Frieden«, der die Versöhnung mit Gott voraussetzt. Letztlich sind beide Aspekte nur die verschiedenen Seiten ein und derselben Sache. Nach dem Zusammenhang und dem logischen Gedankenablauf des Textes gilt es jedoch, sich zunächst auf den ersten zu konzentrieren (Christus ist der Friede zwischen Juden und Heiden), bis dann auch der zweite deutlicher zur Geltung kommt (Christus ist der Friede [mit Gott] für Juden und Heiden).[6]
Die drei folgenden Partizipialsätze wollen V. 14a erläutern.

3.2.1.2. Vers 14b

»Der die beiden (τὰ ἀμφότερα) *eins gemacht hat«:* Die in den V. 11-13 angetroffene Gegensätzlichkeit (Juden — Heiden), aus der dann auch die theologische Problemstellung für V. 14-18 resultiert, verlangt, daß V. 14b nur so verstanden werden kann, daß Christus Juden und Heiden eins gemacht hat. Wenn der Verfasser in neutrischer Weise von »den beiden« (τὰ ἀμφότερα) redet, dann be-

---

[4] *Schlier,* Eph 122; zum Begriff s. *Gnilka,* Eph 138f.

[5] Material bei Billerbeck III 587.

[6] *Coggan,* A Note, möchte »Friede« parallel zum atl. Friedensopfer sehen, so daß der tiefere Sinn von V. 14a wenigstens für die Leser »who were familiar with thought-forms (as the writer)« gewesen wäre: »He is our peace offering«. Wenig überzeugend!

stätigt sich, was weiter oben festgestellt wurde, daß er nämlich »Beschneidung« und »Unbeschnittenheit« als Begriffe versteht, die zwei Bereiche umgrenzen. Die bereits angedeutete Objektivierung ist vollends durchgeführt.

Demgegenüber ist die Auslegung *H. Schliers* abzulehnen. Er möchte mit dem Hinweis auf die neutrische Fassung der »beiden« — im Gegensatz zur maskulinischen Fassung (οἱ ἀμφότεροι) in V. 16 (vgl. »die zwei« = οἱ δύο in V. 15) — »nicht an Juden und Heiden denken«, sondern lieber an »zwei Bereiche oder Gebiete«, etwa im Sinne eines himmlischen und irdischen Bereiches.[7] Richtig ist, daß hier zwei *Bereiche* angesprochen sind, aber eben der jüdische und der heidnische. Das ist hinreichend, um das Neutrum, das im übrigen auch durch die neutrische Formulierung bei »er hat *eins* (= ἕν!) gemacht« nahegelegt wird,[8] zu erklären. Neutrische Sprechweise von Personen ist in der Koine durchaus möglich (vgl. 1 Kor 1,27).[9] Wenn *Schlier* betont, daß solche Sprechweise nur »geschieht, um die betreffenden Personen unter einer generellen, sie charakterisierenden Eigenschaft sehen zu lassen, was bei τὰ ἀμφότερα nicht möglich ist«[10], dann übersieht er, daß die entscheidende charakterisierende, generelle Eigenschaft der hier gemeinten Personen gerade darin bestand, daß sie einstmals τὰ ἀμφότερα waren, jetzt aber »eins« (ἕν) sind.[11] Endlich ist zu betonen, daß τὰ ἀμφότερα in sich kein theologischer oder weltanschaulicher Begriff ist, der als solcher auf kosmische Bereiche hinweist. Es handelt sich vielmehr um einen in sich vollkommen neutralen Begriff, der seine Deutung und Bedeutung erst aus dem Kontext bekommt. Deshalb bleibt es dabei, daß nach dem Zusammenhang mit dem Kontext, der Antithese Juden — Heiden in V. 11-13 und der daraus resultierenden Fragestellung »die beiden« in V. 14b nur den Bereich der Juden und den Bereich der Heiden meinen kann.[12] Das gilt auch dann, wenn V. 14 (bis

[7] Eph 124.
[8] Vgl. *Mußner,* Christus 81.
[9] Vgl. Bl-Debr § 263,4; *Abbott,* Eph 60f.
[10] Eph 124.
[11] Zum grammatischen Befund: Bl-Debr § 138,1; 275,8; *Mayser,* II,2 90ff.
[12] Vgl. *Best,* Body 152; was die Ebene des Verfassers anbelangt, ist auch *Gnilka,* Eph 139 zustimmend. Zum kosmischen Hintergrund der Stelle s. unten 3.2.1.7.

»abgebrochen hat«) ein hymnisches Fragment sein sollte,[13] in dessen ursprünglichem Kontext »die beiden« tatsächlich zwei kosmische[14] oder gar direkt dualistische[15] Bereiche gemeint hätte. Denn dann hätte der Verfasser eine, in ihrem ursprünglichen Kontext kosmische Wendung aufgegriffen und durch Eingliederung in seinen Kontext und seine Fragestellung (V. 11-13!) uminterpretiert (auf Juden und Heiden). »Die beiden« meint also die beiden Bereiche der »Beschneidung« und der »Unbeschnittenheit«.

3.2.1.3. Vers 14c

»Und die Scheidewand des Zaunes abgebrochen hat, die Feindschaft«: Das zu Anfang stehende »und« ist epexegetisch.[16] Der zweite Partizipialsatz will also erklären, wie die Einswerdung der beiden Bereiche zustandekam. Der epexegetische Genitiv[17] »des Zaunes« ist durch das Nomen »Scheidewand« (oder »Zwischenwand«) eindeutig als trennende, scheidende Größe definiert. Aus der logischen Abfolge von V. 14b und V. 14c ergibt sich, daß mit dem ganzen Ausdruck die Schranken gemeint sind, die jüdischen und heidnischen Bereich trennen.[18] Christus hat diese Barrieren niedergerissen.[19] Das ist natürlich eine bildliche Ausdrucksweise, die zunächst nur sagt, daß das Trennende zwischen beiden vernichtet ist. Worin es besteht, wird erst in V. 15a verdeutlicht. Zuvor gibt die Apposition »die Feindschaft« an, daß das Trennende sich als Feindschaft äußert und erfahren wird. »Der absolute Gebrauch des Begriffes« ist keineswegs so »auffallend«, wie *H. Schlier* meint,[20] denn aus dem Duktus der Gedankenbewegung ist dem Leser sofort klar, welche Feindschaft gemeint ist (die zwischen Juden und Hei-

---

[13] Vgl. oben I. Kap. 2.

[14] Die nächste Parallele dazu wäre dann der an kosmischer Theologie orientierte Kol-Hymnus, vgl. bes. Kol 1,20.

[15] Dann wäre das Fragment wohl gnostischer Herkunft, vgl. den Terminus ἀμφότεροι, in der Naassenerpredigt (Hipp. Phil. V, 9,7).

[16] *Schlier,* Eph 124: »und zwar«; vgl. *Masson,* Eph z. St.

[17] Vgl. *Schlier,* Eph 124; *Mußner,* Christus 81.

[18] Zum religionsgeschichtlichen Hintergrund des Ausdrucks s. unten 3.2.1.7.

[19] Zu dieser Bedeutung von λύω vgl. *Bauer,* 955ff, 3.

[20] Eph 125.

den[21]). Eine nähere Bestimmung des Begriffes ist gar nicht notwendig.

3.2.1.4. Vers 14c (Ende). 15a

»Indem er in seinem Fleische das Gesetz der in Satzungen bestehenden Gebote vernichtet hat«: Nicht ganz leicht zu bestimmen ist, wohin im griechischen Text »in seinem »Fleische« zu ziehen ist.

Rein grammatisch gibt es vier Möglichkeiten:
(1) Es gehört ganz eng zu »Feindschaft«. Dann wäre die Feindschaft, die in seinem Fleische besteht, gemeint.[22]
(2) Es gehört zum vorausgehenden Partizip λύσας (»abgebrochen«): Es wäre zu übersetzen: »Er hat die Scheidewand des Zaunes, die Feindschaft, in seinem Fleische abgebrochen«.
(3) Es gehört zum folgenden Partizip καταργήσας (»vernichtet«). So die obige Übersetzung.[23]
(4) Es gehört sowohl zum vorausgehenden als auch zum nachfolgenden Partizip.

Abgesehen davon, daß die erste Möglichkeit sachlich unwahrscheinlich ist, würde man in diesem Fall auch eher mit dem Genitiv rechnen. Die übrigen Möglichkeiten laufen in der Sachaussage in etwa auf dasselbe hinaus. Rein sprachlich stört bei (2) —das gilt dann in analoger Weise auch für (4) — die dazwischengeschobene Apposition (»Feindschaft«) zur »Scheidewand des Zaunes«. Man hat eher den Eindruck, daß es sich hier um eine nachklappende Apposition handelt, so daß nach »Feindschaft« eine neue Aussage ansetzt. So wird man sich doch am besten für die dritte Möglichkeit entscheiden.

Ob bei »in seinem Fleische« an die Menschwerdung oder den Kreuzestod Christi gedacht ist,[24] dürfte angesichts des Kontextes nicht allzu schwer zu entscheiden sein. V. 13 sprach vom »Blute Christi« und V. 16 nennt ausdrücklich das »Kreuz« (vgl. dort den Zusam-

---

[21] Zur »Feindschaft« (zwischen Juden und Heiden) vgl. unten Anm. 30 und 50.

[22] So *Käsemann,* Leib 140f. Ähnlich auch *Conzelmann,* Eph 68, wenn er sagt, »daß das Trennende ... im ›Fleische‹ ... bestehe«.

[23] So *Mußner,* Christus 38; *Dibelius,* Eph 70; vgl. *Schlier,* Eph 125.

[24] Vgl. *Schlier,* Eph 125. Auf jeden Fall ist der Ausdruck instrumental zu verstehen: *Mußner,* Christus 83 Anm. 31.

menhang mit »Feindschaft«!). Daß tatsächlich der Kreuzestod gemeint ist,[25] wird auch durch die nächsten Sachparallelen zu unserer Stelle — Kol 1,22; 2,14 — bestätigt.[26]

Der etwas schwerfällige, für den Stil des Verfassers aber typische Ausdruck (wörtlich) »Gesetz der Gebote in Satzungen«[27] meint das Gesetz, das aus Geboten besteht, die sich wieder in Einzelsatzungen ausformulieren.[28] Der Verfasser spielt damit auf das Gesetz an, wie es konkret von den Juden seiner Zeit verstanden wurde. Mit den »Geboten« und »Einzelsatzungen« ist vor allem auf diejenigen Dinge verwiesen, die den Juden zum Juden abstempeln und vom Heiden unterscheiden. Solche Vorschriften sind besonders: Beschneidung,[29] Beobachtung des Sabbats und heiliger Tage, Speiseordnung, also in erster Linie die Vorschriften kultisch-ritueller Art. Gerade sie machen die Juden bei den Heiden verhaßt.[30] Das jüdische Gesetz hat so die Eigenart, die Bereiche der »Beschneidung« und der »Unbeschnittenheit« aufzurichten, zu verursachen, zu kodifizieren. So wird es zur Trennwand.

Insgesamt gibt V. 14c (Ende). 15a an, wie[31] Christus die beiden Bereiche zu einem gemacht und die trennende Mauer abgebrochen hat: Er hat bei seinem Kreuzestod, in seinem Fleische, das jüdische Gesetz vernichtet.

---

25 So auch *Percy*, Probleme 281; *Mußner*, Christus 83; sowie die Kommentare von *Haupt, Abbott, Dibelius, Staab, Gnilka.*

26 Angesichts dieser Stellen ist der Verweis auf »Joh 1,14 als Parallele« *(Gnilka,* Friede 199) nicht durchschlagend.

27 Zur Verbindung von Genitiv- und ἐν-Konstruktion vgl. z. B. Eph 1,17; 2,7.22; 3,4.

28 *Bauer,* 399.

29 Belege für die Beschneidung als Gebot und als Teil der Tora bei Billerbeck IV,1 23ff.

30 Vgl. Billerbeck III 590. Daß sich die Feindschaft der Welt besonders gegen die jüdische Beschneidung richtet, s. Billerbeck IV, 1 36 (p.).

31 Richtig bemerkt *Schlier,* Eph 125: »Denn das Partizip καταργήσας wird nicht mehr mit einem καί weitergeführt, sondern dem vorigen oder den vorigen bei- bzw. untergeordnet: ›indem er die Feindschaft .. vernichtete‹«.

3.2.1.5. Der Gesetzes-Begriff in Eph 2,15 und die Gesetzes-Problematik der paulinischen Hauptbriefe

Entgegen der hier vorgetragenen Exegese hat man das »Gesetz« immer wieder nicht nur als Trennwand zwischen Juden und Heiden, sondern zugleich auch als Trennwand zwischen Gott und Mensch verstanden. Das kommt vor allem daher, daß man das »Gesetz« von Eph 2,15 im Sinne des Gesetzesbegriffes der Homologumena ausgelegt hat.

Ganz die Gesetzesauffassung der Homologumena spiegelt etwa die *Schlier*sche Interpretation von Eph 2,15 wider: »Dieses (= die Auflösung des Gesetzes, Anm. d. Verf.) ist der Durchbruch der Scheidewand zwischen Heiden und Juden und in einem damit zwischen der Welt und Gott. Denn solange der νόμος (= Gesetz, Anm. d. Verf.) in seinen ἐντολαί (= Gebote, Anm. d. Verf.) als δόγματα, als Satzungen, die in Leistungen zu erfüllen sind, erfahren wird, ist er immer nur das, was die Feindschaft zwischen Gott und der Welt aufrichtet«[32].

In der Tat hat der Paulus der Hauptbriefe das »Gesetz« so verstanden. Er mußte einem »Gesetz« gegenübertreten, das sich als Mittel zur »Gerechtigkeit«, das heißt als Heilsweg verstand. Da die »Gerechtigkeit« aber nur durch den Glauben an Christus zu erreichen ist, also Gnadencharakter trägt, kann sie niemals durch eigene Leistung erlangt werden. Indem das Gesetz aber Leistung fordert, oder — wie *H. Schlier* sagt — als »legalistisch-kasuistischer Anspruch«[33] zur »gnadenlosen Provokation von Leistung und ›Ruhm‹«[34] wird, verführt es zur Aufrichtung der eigenen Gerechtigkeit (vgl. Röm 10,3). Es schließt also gerade von der »Gerechtigkeit Gottes« aus und wird zur Trennmauer zu Gott.

Voraussetzung für dieses Gesetzesverständnis war, daß Paulus einem Judentum gegenüberstand, das das Gesetz als Heilsweg deklarierte, bzw. daß Paulus Judenchristen gegenübertreten mußte, die heidenchristliche Glaubensgenossen auf das Gesetz als Heilsnotwendigkeit verpflichten wollten. Die Alternative »Christus (bzw. Glaube) oder Gesetz« führte dann zur Konzeption der Homologumena, in denen dem Gesetz ein von Gott trennendes Moment in-

---

[32] *Schlier*, Christus 24; vgl. Eph 125f.

[33] Eph 132.

[34] Eph 136.

newohnt. Wenn man diese Verbindung von historischer Voraussetzung und Gesetzesverständnis in den paulinischen Hauptbriefen ernst nimmt, muß man damit rechnen, daß sich das Gesetzesverständnis wandelt, sobald sich die historischen Voraussetzungen ändern. Das mußte in dem Maß der Fall sein, als die wachsende Selbständigkeit und Eigenständigkeit der christlichen Gemeinden gegenüber dem Judentum die Möglichkeit oder Gefahr »Gesetz als Heilsweg« aus den Blick kommen ließ. Für eine Gemeinde, die es fraglos akzeptiert, daß der Heilsweg Christus ist, kann kaum das Gesetz als Trennwand zu Gott verstanden werden. Nun scheint alles darauf hinzudeuten, daß dies auf den Epheserbrief zutrifft.

Schon die Wortstatistik verrät kein starkes Interesse des Epheserbriefes an der Gesetzesproblematik der Homologumena.[35] Das beweist freilich nicht viel. Doch findet sich auch sachlich im Epheserbrief — abgesehen von unserer Stelle, die fraglich ist — nirgends auch nur der leiseste Hinweis auf das Problem, das etwa im Galaterbrief Anlaß zur großen Gesetzesdebatte des Paulus wurde, das heißt ein Hinweis darauf, daß die Adressaten irgendwie Gefahr liefen, das Gesetz als Heilsweg zu verstehen (vgl. Gal 3,1ff). Das wiegt umso schwerer, als im Kolosserbrief, der literarisch dem Epheserbrief am nächsten steht, eine solche Problematik noch ausführlich zu Wort kommt. Die Gemeinde des Kolosserbriefes stand noch in Gefahr, das Heil von der Beobachtung bestimmter Satzungen abhängig zu machen (vgl. Kol 2,8.16.20ff). Wenn der Epheserbrief — bei allen sonstigen Berührungen mit dem Kolosserbrief — gerade die diesbezüglichen Mahnungen des Kolosserbriefes nicht aufnimmt, dann deutet das wohl darauf hin, daß für seine Gemeinde die Frage nach dem Gesetz als Heilsweg aus dem Horizont entschwunden war.
Wie wenig der Epheserbrief eine Gefahr darin sieht, das Gesetz als Heilsweg zu verstehen, zeigt positiv 2,10, wo der Heilsstand in Christus als ein Wandeln in guten *Werken*, die Gott vorausbereitet hat, begriffen wird. Dieser Vers ist umso gewichtiger, als der vorausgehende rein äußerlich betrachtet noch ganz den Geist der Hauptbriefe zu atmen scheint: »nicht aus Werken, damit nicht jemand sich rühme«. Aber 2,10 beweist eben, daß diese Terminologie in ein ganz anderes Verständnis transponiert ist.[36]

---

[35] Der einen Eph-Stelle (2,15) stehen 116 Stellen in den Homologumena gegenüber, die den Terminus »Gesetz« gebrauchen.

[36] Es geht im ganzen Abschnitt Eph 2,1-10 um die Taufe, um »die Annahme in die Kirchengemeinschaft mit dem Ziel der Bewährung des Menschen auf den von Gott vorgezeichneten Wegen« (*Stuhlmacher*, Gerechtigkeit 217). Siehe dazu unten II. Kap. 1.1. — Wie abseits Eph

Wenn es richtig ist, daß die Frage »Gesetz als Heilsweg?« für den Epheserbrief nicht mehr aktuell war, dann wird man für Eph 2,15 folgern müssen, daß hier bei dem Begriff »Gesetz« kaum mehr an das Theologumenon von dem Leistung provozierenden und damit Feindschaft mit Gott aufrichtenden Gesetz, wie es sich in den Homologumena findet, gedacht ist, bzw. daß die Leser des Epheserbriefes eine solche Aussage kaum verstanden hätten.

Im übrigen ist die Verbindung der beiden Gedanken, daß das »Gesetz« zugleich Trennwand zwischen Juden und Heiden wie auch Trennwand zwischen Gott und Menschheit sein soll, auch logisch schwierig, wenn nicht undurchführbar. Welches Gesetz ist denn gemeint: das jüdische, die Tora, oder das allgemein menschliche, wie es etwa in Röm 2,14 beschrieben ist? Ist das jüdische gemeint, dann kann es durchaus — wie oben ausgeführt — zur Trennwand zwischen Juden und Heiden werden. Wie aber sollte dieses Gesetz zur Trennwand zwischen Heiden und Gott werden? Es wäre sonderbar, wenn der Verfasser seinen Lesern — hier ehemaligen Heiden — sagen wollte, daß sie einstmals durch das jüdische Gesetz von Gott getrennt waren. Ist mit dem »Gesetz« aber das allgemeinmenschliche Gesetz angesprochen (oder auch Tora und allgemeinmenschliches Gesetz in einem unter dem Gesichtspunkt der sittlichen Anforderung), dann werden Juden und Heiden geradezu zusammengeschlossen, wie die Ausführungen in Röm 2,1-3,20 (vgl. bes. 3,9!) erkennen lassen. Dieses Gesetz stempelt Juden wie Heiden zu Sündern und läßt sie als eine Unheilsgemeinde erscheinen. Wie das Gesetz beide trennen soll, ist nicht recht begreiflich.

Es ist also daran festzuhalten, daß es Eph 2,15 allein um das jüdische Gesetz geht, das Juden und Heiden voneinander trennt. An ein Gesetz als Trennwand zu Gott ist nicht gedacht.[37]

---

von der Gesetzesproblematik der Homologumena steht, ließe sich noch an einer Reihe von Beispielen erläutern. Es fehlt etwa die Alternative »Gesetz oder Verheißung« (für die Homologumena s. *Schniewind — Friedrich,* ThW II 578f, bes. 579,5f), außerdem fehlt der Begriff »Gerechtigkeit« im Verständnis der Homologumena (s. unten II. Kap. 1 Anm. 7).

[37] Wie immer man daher das Verhältnis des Eph zu den Homologumena beurteilt, so läßt sich von den letzteren her kaum die Meinung aufrechterhalten, »dass der Epheserbrief in seiner Auffassung vom Gesetz ganz

3.2.1.6. Wie kann Christus das Gesetz als Trennwand zwischen Juden und Heiden »in seinem Fleische« vernichten?

Hierzu ist das Verhältnis von »Beschneidung«/»Unbeschnittenheit« und »Gesetz« einerseits und von »Gesetz« und »Fleisch« andererseits genauer zu umschreiben. Einen wichtigen Hinweis bietet V. 11. Dort werden die Heiden als »Heiden *im Fleische*« und die Juden als »Beschneidung *im Fleische*« gekennzeichnet. »Im Fleische« zunächst deswegen, weil Beschneidung oder Nicht-Beschneidung am Fleisch oder am Leib geschieht bzw. im Fleisch oder im Leib ihren Ausdruck findet. Aber man darf »Fleisch« nicht nur vordergründig als den Leib des Menschen verstehen. Der Leib ist zwar Objekt, an dem Beschneidung geschieht bzw. nicht geschieht. Doch bedingt dieses Geschehen, bzw. Nichtgeschehen eine Kategorialisierung allen Wesens, das »Fleisch« ist (in Juden und Heiden). So ist »Fleisch« Ausdruck für die Sphäre des Menschen in seiner natürlich-irdischen Gegebenheit.[38]

Nun aber ist das Gebot der Beschneidung eines der wichtigsten, wenn nicht überhaupt das wichtigste »Gebot« (ἐντολή), welches das »Gesetz« (νόμος) enthält, und das mit einer Fülle von »Einzelsatzungen« (δόγματα) reglementiert und vorgeschrieben ist.[39] Indem so »das Gesetz der Gebote in Satzungen« sich am »Fleisch« auswirkt, schafft es die Kategorie »Beschneidung« und grenzt sie von dem Bereich ab, an dem es sich nicht auswirkt, von der »Unbeschnittenheit«. So konstituiert dieses Gesetz in seiner Auswirkung auf die menschliche Sphäre zwei sich ausschließende Bereiche, es wird zur Trennmauer. Freilich ist Eph 2,15a nicht bloß an das Gebot der Be-

---

auf der typisch paulinischen Linie liegt« (*Percy*, Probleme 287). Das soll nicht heißen, dass in Eph 2,15 nicht Terminologie der Homologumena anklingt, vgl. Röm 7,4; 10,4; Gal 2,19. Vielleicht ist sogar das Verbum καταργέω eine Reminiszenz an Röm 7,6 (vgl. 2 Kor 3,11.13). Weiteres dazu unten II. Kap. 2.4.

38 Dieses Verständnis von »Fleisch« findet sich schon in den Homologumena, vgl. *Sand,* Fleisch 165ff. – Wieder etwas anders ist der Begriff in Eph 2,3 gebraucht; vgl. *Schweizer,* Komponente 252f; *ders.*, ThW VII 137f.

39 Zur Beschneidung als Gebot, sowie zur Wichtigkeit der Beschneidung und den einzelnen Vorschriften, die sie befahlen und reglementierten, s. Billerbeck IV,1 23ff.

schneidung zu denken, auch die anderen Satzungen (bes. kultisch-ritueller Art) sind eingeschlossen, da auch durch sie die durch die Beschneidung konstituierte Kategorialisierung transparent wird. Christus hat nun im Kreuzestod sein »Fleisch« der Vernichtung preisgegeben. Damit hat er das »Fleisch« als Sphäre der menschlich-irdischen Verfaßtheit zunichte gemacht und eine neue Sphäre — V. 18 spricht vom Pneuma (Geist) — eröffnet, in und an der sich »das Gesetz der Gebote in Satzungen« nicht mehr auswirken kann. Insofern ist durch Christi Kreuzestod das Gesetz selbst zusammengebrochen, die beiden durch das Gesetz bedingten Bereiche werden gegenstandslos, es existiert nur noch »ein Bereich« (ἕν).

3.2.1.7. Zum religionsgeschichtlichen Hintergrund von V. 14.15a

Die These *H. Schliers*, daß das »Gesetz« sowohl Gott und Menschheit als auch Juden und Heiden trennt, ist mit den vorausgegangenen Überlegungen noch nicht letztgültig widerlegt. Schlier verweist nämlich mit reichem religionsgeschichtlichen Material auf die Vorstellung einer jüdischen Gnosis, in der sich Gesetzeszaun (zwischen Juden und Heiden) und Welten- oder Himmelszaun (zwischen Gott und Menschheit) verbunden haben sollen.[40] Mit dieser religionsgeschichtlichen Voraussetzung hängt auch zusammen, daß Schlier »die beiden« (τὰ ἀμφότερα V. 14) auf einen himmlischen und einen irdischen Bereich deutet.[41] Die Beseitigung der Trennwand (= Gesetz) zwischen diesen Bereichen würde dann natürlich auch die Trennwand zwischen Juden und Heiden vernichten.

Doch wie steht es mit dieser Voraussetzung?

(1) *Die Argumentation H. Schliers*[42]: Schlier unterscheidet drei Stufen. Nach einer ersten, jüdischen Vorstellung kann das Gesetz als Zaun (Mauer) verstanden werden, der Israel schützt und vor den anderen Völkern (Heiden) trennt.[43] Eine zweite, in der jüdischen Apokalyptik beheimatete Vorstellung kennt eine Welt- oder Him-

---

[40] Christus 18-26; Eph 128-133; vgl. auch *Dibelius*, Eph 69; *Conzelmann*, Eph 68f; *Vielhauer*, Oikodome 122f.

[41] Siehe oben 3.2.1.2.

[42] Eph 128f (im folgenden sind die Belege *Schliers* zitiert).

[43] Arist 139.142; sowie die Belege bei Billerbeck III 588 (*Schlier* verweist noch auf CD VI,7ff und 1 QH I,3, die ich nicht verifizieren konnte).

melsmauer, welche die kosmischen Sphären trennt.[44] Daß Welt- oder Himmelszaun und Gesetzeszaun auch zusammengesehen werden konnten (dritte Vorstellung), ergibt sich für Schlier aus Lev R 26 (124ᵃ). So können schließlich in der jüdischen Gnosis beide Zäune identifiziert werden.[45]

(2) *Kritische Beurteilung:* Tatsächlich existieren die ersten beiden Vorstellungen. Doch sind sie nicht miteinander verbunden. Falsch ist, daß Lev R 26 (124ᵃ) die Zusammensicht beider Vorstellungen zum Ausdruck bringen würde.

Zwar sagt dort die Schlange: »Weil ich den Zaun der Welt durchbrochen habe«. Aber dieser »Zaun der Welt« hat nichts mit einer Grenze zwischen Himmel und Erde zu tun. Der Terminus »kommt im rabbinischen Schrifttum lediglich nach seiner *schützenden* Bedeutung in Betracht«[46]. Er ist ein Bild für das Gesetz als natürliche oder sittliche Weltordnung, wie etwa eine Talmud-Stelle zeigt: »Das Vieh Hiobs durchbrach den Zaun der Welt; nach dem Lauf der Welt töten Wölfe die Ziegen, aber beim Vieh Hiobs töteten Ziegen die Wölfe«[47]. Hier ist deutlich, daß nach rabbinischer Auffassung das Gesetz als »Zaun der Welt« nichts mit der Vorstellung von der apokalyptischen Himmelsmauer und schon gar nichts mit der gnostischen Vorstellung einer Trennmauer zwischen zwei dualistischen Bereichen zu tun hat.

So ist es nicht verwunderlich, daß auch die gnostischen Belege, die nach Schlier in letzter Konsequenz einer Aussage wie Lev R 26 (die aber nicht zutrifft!) die Identifizierung von Welten- und Gesetzeszaun bekunden sollen, nicht stichhaltig sind.

Als Beispiel sei auf ActThom 32 verwiesen. Der Zaun, durch den der Drache (Schlange) ins Paradies gelangt, ist hier »die aus gnostischen Quellen bekannte Scheidewand zwischen dem Lichtreich und dem Reich des Bösen; in die Paradiesesgeschichte sind also die Züge des Mythos vom Einbruch des Bösen in das Lichtreich eingedrungen«[48]. Ein Bezug auf das Gesetz und zur rabbinischen Anschauung vom »Zaun der Welt« läßt sich weder aus der Stelle selbst noch aus dem Kontext erheben.[49]

---

[44] Hen(aeth) 14,9; Bar(gr) 2,1ff; TestLev 2,7; Bar(syr) 54,5.

[45] ActThom 32; Orig. c. Cels. VI,31; ActPhil 119.

[46] Billerbeck III 587.

[47] b. BB 15b (zitiert nach Billerbeck III 588).

[48] *Bornkamm*, Mythos 29.

[49] Orig. c. Cels. VI,31 geht etwa in dieselbe Richtung wie ActThom 32. Auch ActPhil ist kein direkter Zusammenhang mit dem »Gesetz« zu erkennen. Außerdem sind ActPhil sehr jungen Datums (4./5. Jh.).

Damit ist die Deutung Schliers auch von ihrer religionsgeschichtlichen Voraussetzung her nicht überzeugend. Die Vorstellung von einem Gesetz, das sowohl kosmische oder gar dualistische als auch völkische (Juden — Heiden) Trennfunktion gehabt hätte, gab es nicht.[50]

(3) *Positive Beschreibung des religionsgeschichtlichen Hintergrundes:* Sofern hinter V. 14 ein hymnisches Fragment stehen sollte, könnte mit der »Scheidewand des Zaunes« — je nach Herkunft des Fragmentes — entweder die gnostisch-dualistische oder die apokalyptisch-kosmische Grenze gemeint gewesen sein.[51] Wahrscheinlicher ist das letztere, da dies eher in den Rahmen der Traditionsgeschichte des Kontextes, die später noch zu beschreiben ist,[52] paßt. Möglicherweise steckt hinter V. 14 auch nur eine kosmische Christologie, wie sie in Kol 1,20 zum Ausdruck kommt.[53] Wie dem auch sei, der Verfasser des Epheserbriefes versteht unter den beiden, ursprünglich dualistischen oder kosmischen Bereichen die völkisch-geschichtlichen Bereiche von Juden und Heiden. So kann er dann die »Scheidewand« als »Gesetz« interpretieren, wobei ihm die jüdische Vorstellung vom Gesetz als dem schützenden und trennenden Zaun (1. Vorstellungskreis Schliers) Hilfestellung geleistet haben kann.[54]

---

[50] Auch die beiden anderen religionsgeschichtlichen Vorstellungen, die *Schlier* noch beiträgt, bringen für Eph 2,14.15a nicht viel ein: Die gnostische Vorstellung von der Durchdringung der Scheidewand durch den Erlöser (Eph 129f) spricht bezeichnender- und typischerweise nicht von einem »Abbrechen« (Eph!), sondern von einem »Spalten« der Scheidewand. Zur Vorstellung von der Feindschaft und den gnostischen Gesetzesengeln (Eph 130ff) vgl. *Schweizer,* Antilegomena 304 Anm. 29. — Als religionsgeschichtliche Parallele zur »Feindschaft« kommt eher 3 Makk 3,4 in Frage, vgl. *Mußner,* Christus 83 und Billerbeck III 588ff.

[51] Hier könnte man teilweise die Belege aus dem ersten und dritten Vorstellungskreis *Schliers* heranziehen.

[52] Siehe unten II. Kap. 4.

[53] Vgl. *Schweizer,* Antilegomena 303f.

[54] Daß in Eph 2,14 »zugleich auch eine Anspielung an die Tempelschranken enthalten« *(Mußner,* Christus 84) sei (so auch *Goodspeed,* Meaning 37; *Mitton,* Ephesians 231f; sowie die Kommentare von *Abbott, Scott, Beare),* ist unwahrscheinlich. Die Leser hätten das kaum verstanden: *Dibelius,* Eph 69; vgl. *Schlier,* Eph 127 Anm. 5.

3.2.2. Vers 15b.16: Das Ziel der Tat Christi

Der bisherige Gedankengang des Exkurses (V. 14-18) stellte sich so dar: V. 14a brachte das *Hauptthema:* »Er ist unser Friede«. V. 14b. c.15a begründete diese These, indem die *Tat Christi* in mehr *sachlicher Weise* beschrieben wurde: Christus hat die beiden Bereiche zu einem gemacht (V. 14b), er hat die Scheidewand zwischen beiden niedergerissen (V. 14c). V. 14c (Ende). 15a erläuterte, *wie* dieses Werk Christi zustandekommen konnte: Christus hat in seinem Kreuzestod das Gesetz vernichtet.

Nach dieser sachlichen Beschreibung der Kreuzestat Christi wird nun in V. 15b.16 ihre *Absicht*[1] bzw. ihr *Zweck* dargestellt. Das geschieht mit einem zweigliedrigen Finalsatz: »damit er ... (1) ... erschaffe ... und (2) versöhne ...«.

3.2.2.1. Vers 15b

»Damit er die zwei in sich zu einem neuen Menschen schaffe, indem er Frieden macht«: »Die zwei« sind die beiden Menschheitsteile Juden und Heiden.[2] Von ihnen ist gesagt, daß sie zu »einem neuen Menschen« werden. Diese Formulierung ist auffällig; »man erwartet eher ›Volk‹«[3]. *F. Mußner* meint dazu: »Der Terminus ἄνθρωπος (Mensch, Anm. d. Verf.) wird eingeführt, weil der Apostel bei dem Werk der ›Erschaffung des einen neuen Menschen‹ an einen echten *Schöpfungsakt* denkt, durch den etwas völlig ›Neues‹, vorher noch nicht Dagewesenes entsteht; ein Schöpfungsakt also, der mit der Erschaffung des ›Menschen‹ Gen 1,26f verglichen werden kann«.[4] Ob der Verweis auf Gen zur religionsgeschichtlichen Erklärung unseres Ausdrucks ausreicht, mag dahingestellt bleiben.[5] Richtig ist, daß hier an den Akt der eschatologischen Neuschöpfung gedacht ist. Das bestätigt auch das Verbum »schaffen«, das diesen Unterton hat,[6] wie auch das Attribut »neu«, welches »Inbegriff des

---

[1] So *Mußner*, Christus 85.

[2] Zur Einteilung der Menschheit in Juden und Heiden, die schon den Homologumena geläufig ist, s. *Schlier*, Eph 134.

[3] *Dibelius*, Eph 70; vgl. *Schlier*, Eph 134.

[4] Christus 86f.

[5] Zum religionsgeschichtlichen Problem s. unten Kap. II 4.3.1.2.

[6] Vgl. *Schlier*, Eph 133f. — Eine Besonderheit von Eph 2,15 besteht auch

ganz Anderen, Wunderbaren, das die Endheilszeit bringt«[7], ist. Der »neue Mensch« ist der eschatologisch neugeschaffene Mensch. Ausdrücklich betont ist, daß dieser Mensch »einer« ist, wohingegen vorher »die zwei« waren. Mußner will das nicht numerisch, sondern qualitativ verstehen: »Jude wie Heide werden ... je zu ›einem neuen Menschen‹ erschaffen«[8]. Rein grammatikalisch läßt sich das zwar rechtfertigen, insofern οἱ δύο (die zwei) im Gegensatz zu οἱ ἀμφότεροι (beide) exakt mit »jeder einzelne von beiden« zu übersetzen ist.[9] Doch — abgesehen davon, daß eine solch starr grammatikalisch orientierte und gezwungene Übersetzung auch sonst nicht immer durchführbar ist[10] — wird man mit diesem Verständnis kaum der Intention unseres Textes gerecht. So wird man den Unterschied von οἱ δύο (die zwei) und οἱ ἀμφότεροι (beide) so zu verstehen haben, daß »οἱ δύο darauf blickt, daß es zwei (der eine *und* der andere) sind, während οἱ ἀμφότεροι das unberücksichtigt läßt«[11]. Der »eine neue Mensch« ist deshalb im Sinne einer wirklichen Einheit zu interpretieren.

V. 15b erfährt noch eine wichtige Bestimmung: die Neuschöpfung geschieht »in ihm«. *F. Büchsel*[12] und *J. A. Allan*[13] möchten das instrumental verstehen. Aber dann wäre es eigentlich unnötig, »denn daß die Erschaffung ... durch Christus geschieht, ist schon genügend im verbalen Subjekt enthalten (κτίσῃ)«[14]. Da auch eine modale Bedeutung im *Büchsel*schen Sinne[15] hier ausscheidet — der Text will doch nicht sagen, daß Christus in einem durch ihn ein-

darin, daß »schaffen« hier von Christus ausgesagt wird, während Eph sonst damit eine Tätigkeit Gottes meint (2,10; 3,9; 4,24). Doch dürfte das mit der besonderen traditionsgeschichtlichen Herkunft der Formulierung von Eph 2,15 zusammenhängen, s. dazu unten Kap. II 4.3.1.1.

7 *Behm*, ThW III 451,15f. Vgl. dazu den Begriff der »neuen Schöpfung« in den Homologumena: 2 Kor 5,17; Gal 6,15.

8 Christus 87 (unter Berufung auf 1 Kor 10,17; Gal 3,28).

9 Bl-Debr § 275,8.

10 Vgl. Mt 19,5f: »Und jeder einzelne von beiden wird ein Fleisch sein«!?, s. *Schlier*, Eph 134 Anm. 1.

11 *Schlier*, aaO.

12 »In Christus« 145.

13 ›In Christ‹ Formula 60f.

14 *Mußner*, Christus 85.

15 »In Christus« 151.

deutig bestimmten Zustand schafft —, muß lokales Verständnis angenommen werden. Christus erschafft die zwei zu einem neuen Menschen, indem er sie *in sich*[16] schafft oder gründet.[17] »Der eine neue Mensch ist also vorstellungsmäßig einerseits der aus den Juden und den Heiden bestehende ›Mensch‹, er ist aber andererseits Christus selbst.«[18]

So ist die Feindschaft nicht nur rein äußerlich beseitigt, indem bloß Grenzen verschwunden sind (so noch V. 14b.c.15a), sondern es ist wirklich Friede gestiftet, da beide ein neuer Mensch sind. Das will die abschließende Partizipialkonstruktion bestätigen: »indem er (so) Frieden macht«. V. 14a läßt sich nun besser verstehen: Indem Christus beide in sich schafft, ist er selbst der Friede, der beide verbindet.

Der Gedankenfortschritt in V. 14.15a läßt sich nun auch graphisch erläutern. Dabei wird deutlich, daß V. 15a nicht bloße Wiederholung von V. 14b ist.

(1) Vor Christus bestehen zwei Bereiche (τὰ ἀμφότερα). Juden und Heiden werden getrennt durch die Scheidewand des Gesetzes:

(2) Durch Christi Kreuzestat wird die Scheidewand des Gesetzes vernichtet. Es ist nur noch ein Bereich (ἕν):

(3) Die Schaffung des einen Bereiches hat aber auch zur Folge, daß die zwei (οἱ δύο) selbst zu einem neuen Menschen in Christus werden können:

---

[16] Vgl. dazu auch die Lesart ἐν ἑαυτῷ in KL 0142 D G pm Mcion. *The Greek New Testament* liest αὐτῷ. Vgl. *Gnilka,* Friede 194f; Eph 142.

[17] *Mußner,* Christus 85, spricht von mystischer Bedeutung: Der neue Mensch werde »durch den pneumatisch-sakramentalen ›Eintritt in die Christusgemeinschaft‹ erschaffen« (ähnlich auch *Best,* Body 153). Doch steht hier nicht die Taufe, sondern die grundsätzliche Tat Christi am Kreuz im Blickpunkt (so auch *Mußner,* aaO. 86; vgl. *Gnilka,* Eph 142). Deshalb wird man die lokale Bedeutung bei »in« hier vorziehen.

[18] *Schlier,* Eph 135.

Die Graphik ist — wie auch der Text selbst — natürlich nicht im Sinne einer zeitlichen, sondern einer logischen Abfolge zu verstehen. Sie vermag aber recht gut zu erklären, warum zuerst von »den beiden« im Neutrum (τὰ ἀμφότερα; V. 14b) und dann von »den zweien« im Maskulinum (οἱ δύο; V. 15a) die Rede war.

3.2.2.2. Vers 16: Die Versöhnung der beiden mit Gott

Mit einem zweiten, durch »und« an V. 15b angeschlossenen Finalsatz wird nun der Zweck der Einheit schaffenden Kreuzestat Christi (V. 14.15a) weiter erläutert.

Im Griechischen steht hier für »versöhnen« das Kompositum (ἀποκαταλλάσσειν)[19], während die paulinischen Hauptbriefe immer nur das Simplex verwenden. Doch dürften sich »Bedeutung und Sprachgebrauch ... wesentlich mit denen von καταλλάσσω« in den Homologumena decken.[20] Eigenart unserer Stelle ist es auch, daß das Subjekt der Versöhnung, das sonst im Neuen Testament immer nur Gott ist,[21] Christus ist. Doch ist das für die Exegese der unmittelbaren Textaussage von untergeordneter Bedeutung.[22]

Die grammatikalischen Objekte zu »versöhnen« (die beiden / Gott) haben theologisch einen unterschiedlichen Stellenwert.

Das Akkusativobjekt (»die beiden«) nennt den Personenkreis, an dem sich die Versöhnungstätigkeit Christi vollzieht. In diesem Sinn ist Gott nicht Objekt der Versöhnung.[23] Er ist derjenige, *mit dem* (Dativ) Juden und Heiden versöhnt werden müssen. Die Versöhnungstat Christi ist keine Schlichtung eines Streites zwischen zwei

---

[19] In außerchristlicher Literatur nicht belegt (*Bauer*, 183; *Dibelius*, Kol 19), christlicherseits auch nur hier, Kol 1,20.22 und bei den apostolischen Vätern.

[20] *Büchsel*, ThW I 259,8f.

[21] Für die Homologumena ist das unzweifelhaft (vgl. *Mußner*, Christus 98; *Büchsel*, aaO. 259,11f). Für Kol 1,22 ist das nicht ganz klar. Doch dürfte, nachdem in Kol 1,20 Gott Subjekt der Versöhnung ist, das auch für 1,22 zutreffen (vgl. *Mußner*, aaO.; *Büchsel*, aaO. 259,13ff). Vgl. dazu auch die Lesart von p46 und B.

[22] Daß Christus Subjekt des Versöhnens ist, dürfte mit der besonderen traditionsgeschichtlichen Lage zusammenhängen; vgl. auch »schaffen« in V. 15 (s. oben Anm. 6). Möglicherweise ist Kol 1,22 nicht unbeteiligt, wo ein christologisches Verständnis der Versöhnungsaussage immerhin möglich war (in der Lesart von S A C D' K u. a.).

[23] Vgl. *Mußner*, aaO.; *Büchsel*, aaO. 259,12.

Streitpartnern, sondern die Hinführung eines der Versöhnung Bedürftigen (= »die beiden«) zu einem über jeden Streit, und damit über jede Versöhnung erhabenen Gott. Insofern ist die Versöhnung, von der hier die Rede ist, eine einseitige Angelegenheit.
Zu beachten bleibt noch, daß V. 16 eigentlich nicht von der Versöhnung der beiden untereinander spricht,[24] sondern von der Versöhnung der beiden mit Gott.[25]
»Durch das Kreuz« bezeichnet das Kreuz Christi als »Mittel der Versöhnung«[26]. Die Kreuzestheologie der Homologumena klingt an.[27] Als direkter Verstehenshintergrund kann Röm 5,10 dienen: ». . . wir, die wir Feinde waren, wurden mit Gott versöhnt durch den Tod seines Sohnes . . .«[28]. Das »Kreuz« von Eph 2,16 kann geradezu als Objektivierung des »Todes« von Röm 5,10 verstanden werden. Damit ist noch einmal deutlich herausgestellt, daß das eigentliche Geschehen, von dem unser ganzer Abschnitt spricht, der Kreuzestod Christi ist (vgl. V. 13 »in seinem Blute«, V. 14 »in seinem Fleische«).

3.2.2.3. Vers 16: Die Bedeutung von »in einem Leibe«
Sie ist so entscheidend für das Verständnis des Verses, daß dieser Ausdruck gesondert betrachtet werden soll. In der Auslegung kann man drei Richtungen unterscheiden:
(1) Leib = Leib Christi am Kreuz.[29]
(2) Leib = Leib Christi am Kreuz und zugleich (»virtuell und potentiell«[30]) Kirche.[31]
(3) Leib = Gemeinde, Kirche.[32]

---

[24] Eine gewisse Doppeldeutigkeit sieht *Dibelius*, Eph 84.
[25] Das entspricht auch dem grammatikalischen Befund, vgl. *Bauer*, 818f: καταλλάσσειν τινά τι = jemanden mit jemandem versöhnen.
[26] *Schneider*, ThW VII 576,21.
[27] Vgl. *Schneider*, aaO. 575f; *Ortkemper*, Kreuz (Lit.).
[28] Vgl. auch Kol 1,20 (2,14).
[29] So *Percy*, Probleme 281. Ähnlich *ders.*, Leib 29; *ders.*, Zu den Problemen, 191-193; *Schneider*, aaO. 577 Anm. 40.
[30] *Schlier*, Eph 135.
[31] So *Haupt*, Eph 85f; *Dibelius*, Eph 70; *Schlier*, Eph 135.
[32] *Meinertz*, Eph 76, spricht vom »mystischen Leibe«. Entschieden für »Kirche« plädieren *Ewald*, Eph 141; *Scott*, Eph 172; *Käsemann* (in sei-

Für eine Entscheidung ist eine saubere Methodik erforderlich. Es geht nicht an, unsere Stelle etwa sofort im Sinne der Versöhnungslehre der Homologumena auszulegen (vgl. unten *E. Haupt)* und damit zu präjudizieren, sie könne nichts anderes besagen. Für eine Entscheidung kommen zunächst nur sprachlich-exegetische Erwägungen in Frage, wie sie sich unmittelbar aus V. 16 ergeben. Erst dann können sich weiterführende, sachlich-theologische Überlegungen anschließen.

(1) *Sprachlich-exegetische Beobachtungen:* Zu beachten ist, daß in V. 16 nicht einfach vom »Leib«, sondern von *»einem* Leib« die Rede ist. Dieses »ein« entspricht dem »einer« von V. 15b (ein neuer Mensch) und korrespondiert in V. 16 dem unmittelbar vorausgehenden »die beiden« in antithetischer Weise. Vor allem letzteres läßt sich nur dann befriedigend erklären, wenn man annimmt, daß das »ein« vor »Leib« gerade diesen »Leib« als eine aus »den beiden« gebildete Einheit erscheinen lassen will. Rein auf Grund der Formulierung des Textes ist also zu schließen, daß der »eine Leib« zunächst der eine aus den beiden gebildete Leib, das heißt die Kirche ist. Auf keinen Fall kann diese Bedeutung hier gänzlich ausgeschlossen werden.

Das hat schon *E. Haupt* richtig erkannt, »daß, wenn nur von dem Fleisch des Leibes Christi die Rede wäre, man ἐν τῷ σώμ. αὐτοῦ (= in seinem Leibe, Anm. d. Verf.) oder wenigstens ἐν τῷ ἑνὶ σώμ. αὐτοῦ (= in dem einem Leibe von ihm, Anm. d. Verf.) erwarten sollte«[33].
Geht man davon aus, der Verfasser hätte mit dem »Leib« den Kreuzesleib gemeint, dann läßt sich noch hinzufügen, daß in diesem Fall die Betonung des *»einen* Leibes« eigentlich überflüssig ist, da der Leib eines Menschen (hier Christi) immer nur einer ist. Umgekehrt wäre es wegen der Klarheit des Ausdruckes nahezu notwendig, von *»seinem* (αὐτοῦ) Leibe« zu reden.
Geht man aber davon aus, der Verfasser hätte unter »Leib« die Kirche verstanden, dann ist die Hervorkehrung des *»einen* Leibes« geradezu notwendig (dem Epheserbrief und besonders unserem Abschnitt geht es ja gerade um die *eine* Kirche aus Juden und Heiden!), wie ein αὐτοῦ (sein Leib) entbehrlich. In diesem Fall blieb dem Verfasser überhaupt keine andere Formulierungsmöglichkeit als die des jetzigen V. 16.

---

ner Rezension zu *Percy,* Probleme) in: Gnomon (1949) 346. Sehr vorsichtig *Abbott,* Eph 66. Vgl. *Best,* Body 153, und die Kommentare von *Klöpper, Staab* und *Masson.*

33 Eph 85f.

Hinzu kommt, daß der Begriff »Leib« im Epheserbrief ansonsten immer (siebenmal!)[34] »Kirche« und niemals »Kreuzesleib« meint. Für letzteres erscheint 2,14 »sein Fleisch«! Angesichts einer solch einheitlichen »Leib«-Terminologie müßte man in Eph 2,16 schon einen deutlicheren Hinweis erwarten, wenn der Verfasser hier ausschließlich oder auch primär auf den Kreuzesleib Bezug nehmen wollte.

Wenn etwa *E. Haupt,* der vom Sprachlich-Exegetischen her durchaus in unsere Richtung tendiert, dann doch Bedenken gegen die ekklesiologische Deutung des »Leibes« bekommt, dann deshalb, weil er meint, »daß dieselbe (= die Gemeinde, Anm. d. Verf.) zwar *infolge* der Versöhnung durch Chr. zu einem Leibe wird, *bei* derselben aber überhaupt noch nicht, also auch noch nicht als ein Leib, vorhanden war«[35]. Ähnlich argumentiert auch *E. Percy.*[36] Mit anderen Worten, man postuliert von sachlich-theologischen Gesichtspunkten her, genauer von der Theologie der Homologumena her, daß der »Leib« nicht die Kirche sein könne, weil diese die Versöhnung voraussetzt. Das aber ist methodisch unzulässig und verwischt möglicherweise die spezifische Aussage des Epheserbriefes.

Es ist also daran festzuhalten, daß der »eine Leib« von V. 16 zunächst und primär die eine, aus Juden und Heiden gebildete Kirche meinen muß.
Doch wie steht es mit der anderen Bedeutung (Kreuzesleib)? Könnte sie nicht wenigstens mitgemeint sein? Welche exegetischen Argumente werden dafür geltend gemacht?
E. Percy, der die ausführlichste Argumentation erkennen läßt, sei hier stellvertretend zitiert: »sowohl das ἀποκαταλλάξῃ (= versöhne, Anm. d. Verf.) — beachte die Aktivform! — als auch das διὰ τοῦ σταυροῦ (= durch das Kreuz, Anm. d. Verf.) zeigen ja überaus deutlich, daß hier von dem Leibe, der am Kreuze starb,

---

34 Die einzige wirkliche Ausnahme ist der *Plural* »Leiber« in Eph 5,28.

35 Eph 86.

36 Probleme 281: »Die Annahme, das ἐν ἑνὶ σώματι wäre proleptisch von demjenigen Leib gemeint, welchen die aus Juden und Heiden zusammengesetzte Gemeinde bilden sollte — so die meisten — ist nicht nur ganz grundlos, sondern in Verbindung mit dem Gedanken an die Versöhnung am Kreuz völlig sinnlos«. Andeutungsweise, doch viel vorsichtiger formuliert, auch bei *Abbott,* Eph 66.

die Rede sein muß;[37] dasselbe zeigt aber auch das ἐν αὐτῷ (= in ihm, Anm. d. Verf.) in v. 15b, das offenbar dem ἐν ἑνὶ σώματι (= in einem Leibe, Anm. d. Verf.) in v. 16 entspricht, zusammen genommen mit dem ἐν τῇ σαρκὶ αὐτοῦ (= in seinem Fleische, Anm. d. Verf.) in v. 14. Endlich hat die Parallele in Col 1,22 die unzweideutige Bestimmung τῆς σαρκὸς αὐτοῦ (= seines Fleisches, Anm. d. Verf.)«[38].

Dazu ist folgendes zu sagen:

(a) Die Aktivform beim Verbum »versöhnen« beweist nur, daß Christus hier der Handelnde ist. Daß deswegen der »Leib« der Kreuzesleib sein müsse, ergibt sich schon deswegen nicht daraus, weil das Aktiv sich auch mit der anderen Bedeutung nicht im geringsten stoßen würde.

(b) Ebensowenig schließt der Ausdruck »durch das Kreuz« die Bedeutung »Kirche« aus, während die gegenteilige Annahme den V. 16 stilistisch schwerfällig und unklar erscheinen läßt. »In einem Leibe« und »durch das Kreuz« würden nämlich dann sachlich dasselbe sagen. Außerdem könnte »in einem Leibe« nur instrumental verstanden werden, würde also grammatikalisch zum Verbum bzw. zum ganzen Ausdruck »(damit) er die beiden mit Gott versöhne« gehören. In diesem Fall würde man im Griechischen eher folgende Wortstellung erwarten: »(damit) er versöhne die beiden mit Gott in einem Leibe durch das Kreuz«. Das ergäbe eine klare sachliche Aussage und wäre stilistisch ebensogut möglich, ja es würde sich sogar von Kol 1,22 her nahelegen, wo die beiden Präpositionalausdrücke unmittelbar miteinander verbunden sind (»in dem Leibe seines Fleisches durch den Tod«). Setzt man hingegen bei »Leib« die Bedeutung »Kirche« voraus, dann gehört es unmittelbar zu »den beiden«. Der Verfasser würde damit zum Ausdruck bringen, daß sich die Versöhnungstat Christi nicht auf zwei zu unterscheidende Gruppen bezieht, sondern auf zwei, die nicht mehr zwei sind, sondern ein Leib. Dann aber ist überhaupt keine andere Formulierung möglich, als wie sie V. 16 jetzt bietet.

---

[37] Das nachfolgende »durch das Kreuz« dürfte auch für *Schlier* der eigentliche Grund sein, hier »ohne Zweifel« die Bedeutung Kreuzesleib zu supponieren (Eph 135).

[38] Zu den Problemen 191f.

(c) Daß »in einem Leibe« dem »in ihm« von V. 15b entspricht, ist zweifellos richtig. Meint der »Leib« die Kirche, ergäbe sich daraus eine Art Identität von Christus und Kirche, eine Vorstellung, die es zwar richtig zu interpretieren gilt, die aber auch sonst dem Epheserbrief geläufig ist.[39] Ist der »Leib« als Kreuzesleib zu verstehen, ergäbe sich die Identität von Christus und Kreuzesleib. Das aber ist im Zusammenhang mit der Wendung »in seinem Fleische« von V. 14, die Percy seiner Deutung zufolge ebenfalls als parallel zu »in einem Leibe« beurteilen muß, direkt unmöglich. Zu V. 14f stellt Percy richtig fest: »wenn es nämlich dort heisst, Christus habe in seiner σάρξ (= Fleisch, Anm. d. Verf.) das Gesetz ... abgetan, so kann der Sinn dieser Aussage nur der sein, dass das Gesetz auch für Christus Gültigkeit hatte, so lange er noch der Sphäre der σάρξ angehörte, dass aber diese Gültigkeit mit seinem Tode aufhörte ...«[40]. Das heißt aber nichts anderes als, daß Christus jetzt die Sphäre des »Fleisches« hinter sich gelassen und eine neue Sphäre eröffnet hat, und zwar in seinem Tode, also indem er die Sphäre des »Fleisches« in dem »Fleisch« seines Leibes dem Tode und der Vernichtung preisgegeben hat. Das bedeutet aber wiederum, daß nach der Interpretation Percys V. 14f und V. 16 nicht mehr stimmig sind, indem zunächst die Vernichtung des Kreuzesleibes ausgesagt wird, dann aber Juden und Heiden in eben diesen (vernichteten?) Kreuzesleib eingegliedert werden (vgl. »in ihm« V. 15b).[41]

(d) Unsere Sicht wird bestätigt durch das letzte Argument, das Percy für sich in Anschlag bringen möchte: durch die Parallele in Kol 1,22. Ohne Zweifel meint dort der Ausdruck »der Leib seines Flei-

---

[39] Diese Vorstellung ist schon in V. 15b gegeben, wo der »eine neue Mensch« sowohl die Kirche aus Juden und Heiden als auch Christus selbst ist. Zur Vorstellung des Eph überhaupt vgl. den Exkurs zum Begriff des Leibes Christi in meiner Dissertation »Das kirchliche Amt nach dem Epheserbrief«, München 1973, 83-97.

[40] Probleme 281.

[41] Dieser Folgerung könnte man nur dann entgehen, wenn man Kreuzesleib und Auferstehungsleib identisch sein ließe. Doch abgesehen davon, daß von Auferstehung im Kontext nicht die Rede ist, erscheint eine solche Identifizierung, wenn sie mehr als eine Personenidentität aussagen wollte, theologisch fragwürdig. Als Ausdruck für Personenidentität wäre sie mißverständlich.

sches« den physischen Leib, den Kreuzesleib. Der Begriff »Leib« ist im Kolosserbrief auch nicht einheitlich, sondern teils im ekklesiologischen, teils im physischen Sinn verwendet.[42] Doch zeigt sich eine Präponderanz für das ekklesiologische Begriffsverständnis deutlich daran, daß der Verfasser des Kolosserbriefes — mit Ausnahme von 2,23[43] — den »Leib« immer als »Leib des Fleisches« charakterisiert, wenn er vom physischen Leib sprechen will. Was allein diese Beobachtung in Anwendung auf den Epheserbrief bedeuten würde, bedarf keiner Ausführung. Doch selbst, wenn man hier noch skeptisch ist, wird man der ekklesiologischen Deutung von Eph 2,16 den Vorzug geben müssen, wenn man das zweifelsohne bestehende literarische Verwandtschaftsverhältnis von Kolosser- und Epheserbrief in Rechnung setzt.[44] Man müßte nämlich dann erklären, warum der Eph-Autor nicht die Formulierung vom »Leibe seines Fleisches« in seine Versöhnungsaussage (auch Kol 1,22 spricht von Versöhnung) aufgenommen hat, wenn er schon vom Kreuzesleib sprechen wollte. Man müßte erklären, warum er gerade die Beifügung »seines Fleisches« weggelassen und zu einer Formulierung gegriffen hat, die auch Kol 3,15 — in eindeutig ekklesiologischer Bedeutung! — vorhanden war. Wenn man Kol 1,22 überhaupt als Parallele zu Eph 2,16 — m. E. zu Recht — gelten läßt, dann läßt sich die Parallelität nur so verstehen, daß Eph 2,16 die Versöhnungsaussage von Kol 1,22 ekklesiologisch interpretiert.[45]

— Wenn man all diese exegetisch-sprachlichen Beobachtungen zusammennimmt, dürfte der Schluß unausweichlich sein: Der Begriff

---

[42] Ekklesiologisch: 1,18.24; 2,19; 3,15; Physisch: 1,22; 2,11.23. — 2,17 muß wohl als eigene Kategorie behandelt werden (*Lohse,* Kol 172f, sieht auch darin einen Hinweis auf die Kirche).

[43] Hier nimmt der Verfasser »Schlagworte« der Gegner auf. So schon *Lohmeyer,* Kol z. St.; vgl. *Lohse,* Kol 184. — Religionsgeschichtliche Parallelen zu »Leib des Fleisches« bei *Lohse,* Kol 107 Anm. 4.

[44] Siehe dazu unten Kap. II 3 Anm. 14.

[45] Eph versteht also den Begriff »Leib« einheitlich und zwar ekklesiologisch. Dagegen spricht auch nicht 5,28, da hier die »Leiber« in Analogie zum »Leib« (der Kirche) in V. 23 stehen. So spricht Eph nicht mehr vom »Leib des Fleisches«, wenn er den physischen Leib meint, sondern bloß vom »Fleisch« (vgl. Eph 2,14 gegen Kol 1,22); freilich ist der Gebrauch von »Fleisch« keineswegs einheitlich.

»Leib« in Eph 2,16 hat als solcher ausschließlich ekklesiologische Bedeutung. Das freilich ist ein rein exegetisches Urteil und besagt nicht, daß dieser Begriff in sachlich-theologischer Hinsicht keinerlei Bezug zum Kreuzesleib oder zum physischen Jesus haben könne.

(2) *Sachlich-theologische Erwägungen zum Problem Kreuzesleib — Kirchenleib:* Wenn auch nach der vorgetragenen Exegese die Meinung *H. Schliers*, der »Leib« in Eph 2,16 sei sowohl als Kreuzes- wie auch als Kirchenleib zu verstehen,[46] abzulehnen ist, so hindert das nicht anzuerkennen, daß Schlier ein positives Anliegen verfolgt. Es steht dahinter wohl das Bedenken, die Person Jesu würde sonst an Bedeutng verlieren, der Zusammenhang zwischen dem am Kreuz gestorbenen Jesus und dem Christus, dem Haupt der Kirche, würde zerbrochen und die Kirche selbst würde sich in den Nebel eines nicht mehr greifbaren »Heilsraumes« verflüchtigen. Solche Bedenken sind angesichts der Entwicklung, die die Theologiegeschichte genommen hat (Gnosis!), nicht unberechtigt. Nur besteht bei Eph 2,16 die Gefahr eines solchen Mißverständnisses auch dann nicht, wenn der »Leib« nicht den Kreuzesleib meint. Denn daß der »Leib« der Kirche nicht als eine ungeschichtliche Heilsdimension im Sinne der Gnosis mißdeutet werden kann, ist schon dadurch genügend abgesichert, daß als Ursprung dieses Leibes der Kreuzestod Christi angegeben wird. Ebendeshalb besteht auch keine Gefahr, daß der Zusammenhang zwischen dem Christus, dessen »Leib« nun Juden und Heiden in sich schließt, und der historischen Person, die am Kreuz gestorben ist, aufgegeben wäre. Die Identität des Irdischen, am Kreuz Gestorbenen und des Himmlischen steht für den Epheserbrief außer Frage. Dennoch sollte man nicht von einer Identität von Kreuzesleib und Kirchenleib (=Leib des Erhöhten) reden, sondern zwischen beiden — wie es auch die Terminologie des Epheserbriefes tut (»Fleisch« — »Leib«) — unterscheiden. Und das auch aus theologisch-sachlichen Gründen. Denn, ohne dadurch die Identität der Person zu gefährden, wird man sagen müssen, daß der

---

[46] In seiner Habilitationsschrift (Christus 37f) deutet *Schlier* den »Leib« von Eph 2,16 noch ekklesiologisch, erst in seinem Kommentar zu Eph gibt er — wohl unter der Beeinflussung von *Percy* — einem Sowohl-als-auch Raum (vgl. dazu auch *Colpe*, Leib-Christi-Vorstellung 175f).

Leib des Irdischen eben nicht identisch ist mit dem Leib des Erhöhten. Der Leib des Erhöhten setzt Gottes schöpferische Tat voraus, nach sonstiger paulinischer Terminologie die Auferweckung, so daß sich Leib des Irdischen und Leib des Erhöhten — um weiter in paulinischer Terminologie zu verbleiben — wie »Fleisch« (σάρξ) und »Geist« (πνεῦμα) verhalten.[47]

Die Besonderheit von Eph 2,14-18 liegt nun darin, daß der Übergang von der Sphäre des Fleisches in die Sphäre des Geistes nicht mit der Auferweckungsaussage[48] verbunden ist, sondern in letzter theologischer Konsequenz[49] direkt in das Kreuzesgeschehen verlagert ist. Dem entspricht es, daß hier nicht von Gottes Tat die Rede ist, sondern daß Christus selbst als der Handelnde erscheint, und daß die soteriologische Aussage (Versöhnung) nun direkt mit dem Kreuzestod verbunden wird, während die Homologumena hier meist explizit mit den Begriffen »Tod« und »Auferweckung« operierten.[50] Ebenso konsequent ist es dann auch, daß die Vorstellung von der Neuschöpfung — in 2 Kor 5,15ff noch klar mit der Auferweckung verbunden[51] — im Kreuzestod lokalisiert wird. Am Kreuz schafft Christus das neue Geschöpf und eröffnet für Juden und Heiden die Sphäre der Neuschöpfung, so daß beide in einem »Geiste« Zutritt zum Vater haben (2,18). Eph 2,14-18 deutet also den Kreuzestod als Übergang von der irdischen Sphäre in die Sphäre der Verherrlichung,[52] von der Existenzweise des »Fleisches« in der Existenzweise des »Geistes«. So kann Christus, gerade indem

---

[47] Die Bemerkung *Schnackenburgs* zu Eph 2,16 (»Der Leib des gekreuzigten und auferstandenen Herrn weitet sich zu dem ekklesiologischen ›Leib Christi‹ vermittels des Geistes« = Kirche 125) ist daher sachlich richtig (Betonung der Auferstehung und des Geistes), in der Terminologie jedoch leicht mißverständlich (Leib).

[48] D. h. nicht, daß Eph die Auferweckungsaussage nicht kennt, vgl. 1,20ff; 2,5ff.

[49] Vgl. die joh. Vorstellung von der Erhöhung ans Kreuz.

[50] Vgl. 1 Kor 15,1ff; Röm 4,24f; 6,3ff; 7,4; 8,11.34; 10,9; 2 Kor 5,15ff; u. ö. – Am nächsten steht der Vorstellung des Eph Röm 5,1-11. Doch ist Christus hier noch nicht der aktiv Handelnde.

[51] Vgl. auch Röm 8,19ff mit 8,33f.

[52] Das im NT allgemein vorherrschende Denkschema findet sich z. B. in 1 Petr 3,21f (Auferstehung – Himmelfahrt – Unterwerfung der Mächte – Sitzen zur Rechten).

er sein »Fleisch« der Vernichtung preisgibt, den »neuen Menschen« schaffen, sein »Leib« (nicht mehr »Fleisch«!) erscheint jetzt als der Ort, in dem alle »fleischlichen« Unterschiede (vgl. 2,11) dahinfallen und die Versöhnung mit Gott stattfindet, das heißt als Kirche. Für unsere Frage nach dem Verhältnis Kreuzesleib — Kirchenleib ergibt sich daraus, daß eine einfache Identifizierung beider nicht statthaft ist. Gewiß besteht zwischen beiden eine gewisse Kontinuität, insofern es dieselbe Person ist, die darin zur Existenz kommt. Aber indem in beiden Begriffen gerade die verschiedene Existenzweise zum Ausdruck kommt, sind sie klar zu unterscheiden. Zwischen beiden liegt die Schwelle der Neuschöpfung. So muß Christus mit seinem Kreuzesleib (= »Fleisch« V. 14f) die letzte Konsequenz von »Fleisch« auf sich nehmen, nämlich die Vernichtung, Annullierung des Fleisches im Tod. Was unter dem Gesichtspunkt des »Fleisches« aber als absoluter Nullpunkt erscheint, ist für Christus der Punkt eschatologischer Neuschöpfung. Der gekreuzigte Christus wird zum »neuen Menschen«, der alle Welt (Juden und Heiden) dem »Fleisch« entreißt, in sich einverleibt und neuschafft. Die Kirche, deren Grundlage nicht das »Fleisch«, sondern der »Geist« ist, ist daher der »Leib« (V. 16) des eschatologischen »Menschen« Christus.

3.2.2.4. Die Aussage von V. 16 und ihr Verhältnis zur Aussage von V. 15b

Wenn »Leib« in V. 16 ekklesiologisch zu verstehen ist, gehört er aufs engste mit dem vorausgehenden »die beiden« zusammen, so daß der ganze Ausdruck »die beiden in einem Leibe« die Aussage von V. 15b aufnimmt und zusammenfaßt. Weil Christus die zwei in sich zu einem neuen Menschen geschaffen hat (V. 15b), sind es nicht mehr »zwei«(οἱ δύο), beide sind jetzt zusammen (οἱ ἀμφότεροι V. 16). Aber auch der Terminus »beide« ist noch zu sehr vom »Einst« (vgl. V. 11f) bestimmt, das jetzt nicht mehr besteht. Was Christi Schöpfungstat (V. 15b) bewirkt hat, kommt damit noch nicht recht zur Sprache. Der neue Status der »beiden« ist ja dadurch gekennzeichnet, daß sie in Christus der *eine* Mensch sind. So sind es nicht mehr »zwei«, es sind »beide in *einem* Leibe«, ja die einstmaligen »Zwei« sind der eine Leib, wie sie in Christus der eine neue Mensch

sind; in Christus eingeschaffen, sind sie der Leib Christi, die Kirche, wo alle Trennung dahinfällt. Die mit dem Ausdruck »die beiden in einem Leibe« (das heißt die beiden, die in einem Leib sind, bzw. die ein Leib sind) gemeinte Sache hat also die in V. 15b geschilderte Tat Christi zur Voraussetzung: Weil Christus Juden und Heiden in sich eingeschaffen und einverleibt hat, weil sie in und mit Christus der eine neue Mensch sind, sind sie nun als der Leib dieses »Menschen« einer. Indem aber nun in V. 16 der Ausdruck »die beiden in einem Leibe«, der V. 15b zur logischen Voraussetzung hat, als Objekt der Versöhnungstat Christi erscheint, ergibt sich ein logisches Gefälle von V. 15b zu V. 16 in der Art, daß die Einschaffung der Zwei in einen neuen Menschen, also deren Existenz in einem Leibe oder die Existenz der Kirche, der Versöhnung mit Gott vorangeht, ja die Voraussetzung dafür bildet. Das »und« zwischen beiden Versen ist also — wie *T. K. Abbott* richtig urteilt — »not the mere copula, but indicates a logical sequence, ›and consequently reconcile both, now one body, to God by the Cross, . .‹«[53]. Freilich ist zu betonen, daß es sich hier um ein logisches Nacheinander handelt, während die sachliche Gleichzeitigkeit und Einheit der sowohl Kirche als auch Versöhnung schaffenden Tat Christi durch die ständige Betonung des »Blutes«, des »Fleisches« oder des »Kreuzes« Christi — es geht also um die eine Kreuzestat — gesichert ist.
Dieses Ergebnis, das manche Exegeten bewog, die ekklesiologische Deutung des »Leibes« in V. 16 skeptisch zu beurteilen, ist aufrecht zu halten, auch wenn es der Konzeption der Homologumena nicht konform ist. Es ist darin eher ein Ansatzpunkt für einen Vergleich zwischen dem Epheserbrief und den Homologumena zu sehen.

3.2.2.5. Vers 16 (Ende)

In dem abschließenden Partizipialsatz kann »in ihm« sowohl auf Christus (= »in sich«) als auch auf das »Kreuz« bezogen werden. Eine letztgültige Entscheidung ist kaum möglich. Doch ist das ohne große sachliche Bedeutung. Der Begriff »Feindschaft« wird von den einen als Feindschaft mit Gott,[54] von anderen wieder als Feind-

---

[53] Eph 65.
[54] Vgl. *Schlier*, Eph 135f; *Mußner*, Christus 99.

schaft der Menschen untereinander[55] gedeutet. Das hängt davon ab, ob das griechische Partizip ἀποκτείνας (= »tötend« oder »getötet habend«) als gleichzeitig oder als vorzeitig zum Verbum »versöhnen« aufzufassen ist. Bei Gleichzeitigkeit würde es noch einmal den bisherigen Teil des V. 16 zur Sprache bringen: Christus hat die beiden mit Gott versöhnt, *indem* er die Feindschaft ertötete. In diesem Fall wäre an die Feindschaft mit Gott gedacht. Bei Vorzeitigkeit würde die Partizipialkonstruktion noch einmal die Voraussetzung für die Versöhnung mit Gott ins Auge fassen, das heißt die Aufhebung der Trennung der beiden: Christus hat die beiden mit Gott versöhnt, *nachdem* er die Feindschaft — nun unter den Menschen (Juden und Heiden) — getötet hatte. Nun ist eine Entscheidung schwierig, denn an sich haben die griechischen Partizipien »ursprünglich keine temporale Funktion«[56]. Jedoch ist in unserem Fall der Wechsel von Partizip Präsens in V. 15b (wörtlich: »Frieden machend«) zum Partizip Aorist in V. 16 auffällig. Auf Grund dieser Gegensätzlichkeit wird man mit *H. Schlier* annehmen dürfen, daß das erste Partizip das Verhältnis der Gleichzeitigkeit (zum Verbum »schaffen«) und das zweite das der Vorzeitigkeit (zum Verbum »versöhnen«) ausdrücken will.[57]
Damit dürfte der Partizipialsatz die Einheit schaffende Tat Christi unter Juden und Heiden zusammenfassen, wie sie positiv in V. 14. 15a und besonders in V. 15b beschrieben war. Im Deutschen ist er am besten mit einem »nachdem«-Satz wiederzugeben. Wahrscheinlich ist dann auch — das heißt wenn sich das Partizip besonders auf V. 15b zurückbezieht — der Präpositionalausdruck »in ihm« als Wiederaufnahme des »in ihm« von V. 15b zu betrachten, demnach auf Christus zu beziehen und mit »in sich« zu übersetzen.[58]

3.2.3. Zusammenfassung der Aussage von V. 14-16

Ausgangspunkt für den mit V. 14 beginnenden Exkurs war die Fragestellung »Wie können Juden *und* Heiden eschatologisches Gottes-

---

[55] Vgl. *Haupt*, Eph z. St.; *Abbott*, Eph 66. — *Dibelius*, Eph 70, deutet es auf beides.
[56] Bl-Debr § 339.
[57] *Schlier*, Eph 135.
[58] Anders *Gnilka*, Eph 144.

volk sein?« bzw. »Wie können Juden *und* Heiden zusammen mit Gott versöhnt werden?«.

V. 14a gab kategorische, programmatische Antwort: »Er ist unser Friede!«. Gemeint ist der Friede zwischen Juden und Heiden. Doch ist hier nicht an einen bloß menschlichen, innerweltlichen Frieden gedacht. Der »Friede«, der Christus selber ist, gehört einer höheren, eschatologischen Ebene zu.

Gegenüber standen sich Juden und Heiden, die durch »Beschneidung« bzw. »Unbeschnittenheit« zwei einander ausschließende Bereiche bildeten. Was die Grenze zwischen ihnen bezeichnete und aufrichtete, war das Gesetz mit seinen Geboten und Einzelsatzungen (V. 15a). Der objektivierten Sehweise, die Juden und Heiden als zwei Bereiche darstellte (V. 14b), entsprach es, daß auch das Gesetz als »Scheidewand« objektiviert wurde (V. 14c). Christus hat nun durch die Preisgabe seines »Fleisches« dem Gesetz die Sphäre entzogen, in der und an der es sich auswirken kann (V. 14c[Ende]. 15a). So sind Beschneidung und Unbeschnittenheit als Kategorien einer Sphäre, die durch Christi Tod überwunden und aufgegeben wurde, selbst in sich zusammengebrochen.

Es steht nichts mehr im Wege, »die zwei« (= οἱ δύο, V. 15b), die sich jetzt als ein Bereich (= ἕν, V. 14b) präsentieren, in Christus zu gründen zu einem neuen Menschen (V. 15b). So kann Christus als der neue Mensch, der beide in sich schließt, die beiden (= οἱ ἀμφότεροι) als seinen einen Leib mit Gott versöhnen.

Damit ist eigentlich schon die ganze Dimension des »Friedens« von V. 14a durchschritten. Kirche kann nicht bloß als innerweltliche und zwischenmenschliche Friedensinstitution verstanden und damit mißverstanden werden. Als Kirche ist sie auch mit Gott versöhnt und repräsentiert somit eschatologischen Frieden. Dieses Thema wird des näheren in den Versen 17 und 18 entfaltet.

Bevor darauf eingegangen wird, sei noch einmal die theologische Konzeption von V. 14-16 herausgestellt, deren Besonderheit darin besteht, daß die Schaffung der Kirche der Versöhnung mit Gott vorausgeht. Der Verfasser des Epheserbriefes geht also von der Ekklesiologie aus und entwickelt von da aus die Soteriologie. Dieses Phänomen muß später noch eingehender gewürdigt werden.

3.2.4. Vers 17-18: Die »theo«-logische Bedeutung der Tat Christi

Die beiden Verse bringen den mit V. 14 begonnenen Gedankengang über das Thema »Christus ist unser Friede« zum Abschluß. Die volle Bedeutung Christi als »Friede« wird nun deutlich. Stand nämlich im bisherigen Verlauf der Argumentation die Frieden stiftende Tätigkeit Christi primär in bezug auf Juden und Heiden im Vordergrund (V.14f) und war dann — als Folge davon — in V.16 die Versöhnung mit Gott dargestellt, so kann jetzt V.17 — die Aussage von V. 16 der Terminologie von V. 14a anpassend und damit zugleich die Bedeutung des dort genannten »Friedens« in seinem vollen Gehalt hervorhebend — sagen, daß die Friedensstiftung zwischen beiden gleichzeitig den Frieden mit Gott beinhaltet. Denn jetzt — geeint in Christus — haben beide Zugang zum Vater (V. 18).

3.2.4.1. Vers 17

»Und er kam und verkündigte Frieden euch, den Fernen, und Frieden den Nahen«: Der Vers ist größtenteils Zitat aus LXX Jes 57,19 (das gilt für die Worte »Frieden ... den Fernen und ... den Nahen«). Das schon in V. 13 angeklungene Jes-Wort kann jetzt, nachdem V. 14b-16 geklärt hat, daß und wie es in Christus erfüllt ist, im Wortlaut angeführt werden. Der christologische Einschub der Verse 14-18 hat seinen Höhepunkt erreicht.

Ob das Verbum »er verkündigte« Anspielung auf LXX Jes 52,7 ist, muß offen gelassen werden. Doch ist das immerhin denkbar.[59] Sehr umstritten ist die Bedeutung von »er kam« (ἐλθών) im Zusammenhang mit »er verkündigte«.[60] *H. Schlier* möchte darin einen Hinweis auf die Himmelfahrt des Erlösers sehen. Dann würde Eph 4,8ff sehr gut erläutern, was mit »er verkündigte Frieden« gemeint ist.[61] Die These Schliers erscheint jedoch nur dann durchführbar, wenn sich zeigen ließe, daß hinter Eph 2,14-18 ein christologisches

---

[59] Es gehört jedenfalls nicht zum Zitat aus LXX Jes 57,19, wie der Fettdruck bei *Nestle* vermuten läßt; vgl. *Schlier*, Eph 137 Anm. 7; *Gnilka*, Eph 145.

[60] Vgl. die Aufstellung der verschiedenen Interpretationen bei *Schlier*, Eph 137; *Gnilka*, Eph 145f.

[61] *Schlier*, Eph 137ff. Für die postulierte, zugrundeliegende Traditionsschicht argumentiert *Gnilka*, Eph 150, ähnlich.

Abstieg-Aufstieg-Schema steht.[62] Nun aber ist nach allem, was bisher besprochen wurde, in dem ganzen Abschnitt nicht von einem *Abstieg* die Rede. Speziell die Zerstörung der Scheidewand wird nicht als Werk des *absteigenden,* sondern des *am Kreuz sterbenden* Erlösers geschildert. Dann aber ist in V. 17 auch kaum von einem Aufstieg die Rede. Überhaupt bleibt zu fragen, ob das einfache Wörtchen ἐλθών (er kam) eine ausreichende Basis für eine Spekulation, wie sie Schlier vorträgt, bieten kann und ob etwa die Leser aus der jetzigen Formulierung des V. 17 noch den Gedanken erschließen konnten, daß »das Evangelium an die Fernen und Nahen ... nur die Elongatur dieses Himmelsevangeliums des sich nun im Aufstieg offenbarenden Christus«[63] sei.

Unmittelbar aus dem Text dürfte sich folgendes ergeben: Wie die Aoriste der vorangegangenen V. 14-16 wird auch der Aorist »er verkündigte« an eine einmalige Tat Christi denken. Deshalb wird hier kaum die Verkündigung des irdischen Jesus oder die Predigt der Apostel angesprochen sein.[64] »Verkündigen« (εὐαγγελίζεσθαι) ist hier nicht Terminus technicus für die christliche Verkündigung (so Eph 3,8), sondern eher im Sinne von Jes 52,7 zu verstehen. Dort verkündigt der Bote[65] »Jahwes Sieg über die ganze Welt. Jahwe kehrt nun zum Zion zurück, er tritt die Herrschaft an. Der Bote ruft es aus, und damit beginnt die neue Zeit. Er kündigt nicht an, daß die Gottesherrschaft bald hereinbrechen werde, sondern er proklamiert sie, er ruft sie aus, und damit wird sie Wirklichkeit«[66].

---

[62] Nur dann kann man argumentieren, daß »in unserem ganzen Abschnitt noch die Andeutung der Rückkehr oder Auffahrt des Erlösers zu Gott« (*Schlier,* Eph 137) fehlt.

[63] *Schlier,* Eph 139. — Daß Eph 2,17 parallel zu 1 Tim 3,16 sein soll (vgl. *Schlier,* Eph 137f; *Gnilka,* Friede 200; Eph 150), muß füglich bezweifelt werden. Der vorstellungsmäßige Zusammenhang von himmlischer Erscheinung Christi und irdischer Mission kann erst über 1 Tim 3,16 aus Eph 2,17 erschlossen werden. Eine solche Interpretation wäre aber nur dann zulässig, wenn sich *vorher* beweisen ließe, daß Eph 2,17 von einem Aufstieg spricht.

[64] Die Vertreter der verschiedenen Interpretationen bei *Schlier,* Eph 137. So jetzt auch *Gnilka,* Eph 145f.

[65] In LXX: εὐαγγελιζόμενος.

[66] *Friedrich,* ThW II 706,20ff.

Demnach meint das »Verkündigen« an unserer Stelle die Proklamation einer neuen Wirklichkeit. Da an einen einmaligen Akt gedacht ist, kann es sich nach dem sachlichen Zusammenhang mit den vorausgehenden Aussagen nur um den Kreuzestod Christi handeln. Der am Kreuz sterbende Christus proklamiert den Frieden, genauer, er proklamiert sich selbst als den Frieden (vgl. V. 14), indem er als das neue Geschöpf Juden und Heiden in sich vereinigt und mit Gott versöhnt (V. 14b-16).

Das Wörtchen ἐλθών (er kam) will dann nichts anderes als Christus als den von Gott kommenden und von Gott bestimmten eschatologischen Boten charakterisieren, wobei wieder weniger an die Menschwerdung oder an die irdische Wirksamkeit Jesu gedacht ist. Der »im Fleisch« Gekommene und »im Fleisch« Existierende erweist sich gerade da als der von Gott »kommende« eschatologische Bote, wo er in der Übernahme der letzten Konzequenz des »Fleisches«, das heißt in der Vernichtung des »Fleisches« im Kreuzestod, selbst zur eschatologischen Wirklichkeit schaffenden Friedens-Proklamation wird.

Inhalt der Proklamation ist »Frieden euch, den Fernen, und Frieden den Nahen«. Dabei ist der ursprüngliche Jes-Text (»Frieden über Frieden den Fernen und den Nahen«) so umgeformt, daß das doppelte Wort »Friede« je einmal den »Fernen« und den »Nahen« zugeordnet ist. Das läßt »deutlich erkennen, daß Pls hier in *erster* Linie an jenen ›Frieden‹ denkt, der nunmehr durch Christus zwischen *Gott und Menschheit*«[67] besteht. Mit den »Fernen« und »Nahen« sind hier zunächst — ganz im Sinne des midraschischen Verständnisses[68] — die Heiden und die Juden gemeint. Wenn mit diesen Termini Christen angeredet werden — und die in das Zitat eingefügte, sich an die Heidenchristen wendende Anrede »euch« (vgl. »ihr« von V. 11) läßt das klar erkennen —, dann entspricht das freilich nicht der nach V. 14-16 eröffneten, neuen Existenzweise der Christen, wo alle Unterschiede dahinfallen. Umso mehr kann aber V. 17 gerade durch die Erinnerung an die alten Kategorien das den ganzen Abschnitt bewegende Paradoxon zum Ausdruck

---

[67] *Mußner,* Christus 101.
[68] Siehe oben zu V. 13.

bringen, daß Juden *und* Heiden den Frieden, das eschatologische Heil, erlangt haben.

Damit ist der »Friede« von V. 14, der Christus selbst ist, voll beleuchtet: Der Friede zwischen Juden und Heiden offenbart seine letzte Tiefendimension. Als Friede mit Gott hat er »theo«-logische Bedeutung und Gültigkeit. Erst von hier aus wird die letzte Konsequenz und damit zugleich der eigentliche Ermöglichungsgrund irdischen Friedens erkennbar.

3.2.4.2. Vers 18

»Denn durch ihn haben wir beide in einem Geiste den Zugang zum Vater«: Der den Exkurs abschließende V. 18 begründet den vorausgehenden Vers[69] und stellt die »theo«-logische Deutung und Bedeutung seiner Friedensaussage sicher. Zugleich wird die nach V. 16 vollzogene Versöhnung mit Gott in ihrer Auswirkung auf die beiden näher erläutert.

Indem beide nun »in Christus« sind, haben sie »durch ihn« »Zugang zum Vater«. Die Vorstellung des »Zugang-Habens« liegt schon in Röm 5,2 vor und ist dem Verfasser des Epheserbriefes auch sonst vertraut (vgl. Eph 3,12).[70] Entscheidend für den Gedanken unseres Verses ist, daß die beiden »in einem Geiste« den Zugang zum Vater finden. Nach *H. Schlier* wird hier »die Trinität in ihrer Wirksamkeit ... sichtbar«[71]. Doch dürfte es sich eher empfehlen, von einer »triadischen Struktur« des Verses zu sprechen, so daß beim Geist-Begriff »das personale Moment« zurücktritt »zugunsten des Gedankens, daß jener ›Zugang‹ zum transzendenten Gott sich in der *pneumatischen Sphäre* abspielt«[72]. Das ergibt sich schon aus der Parallelität von V. 18 zu V. 16. Wie die beiden »in einem Leibe« mit Gott versöhnt wurden, so haben sie nun »in einem Geiste« Zugang zum Vater. »Geist« ist die Sphäre, die Christus eröffnet hat, das Gegenteil von »Fleisch«, der Sphäre des »Einst«. In der Sphäre des »Fleisches« waren beide getrennt, ja mußten beide getrennt sein wegen des Gesetzes, das sich als »Beschneidung« und

---

[69] Vgl. *Schlier*, Eph 139.
[70] Vgl. auch 1 Petr 3,18, wo das Verbum (προσάγειν) verwendet wird.
[71] Eph 140.
[72] *Mußner*, Christus 103.

»Unbeschnittenheit« auswirkte. Da Christus diese Sphäre »in seinem Fleische« überwunden und in sich den »neuen Menschen« geschaffen hat, in den beide eingegliedert sind, hat auch für sie das »Fleisch« seine Gültigkeit verloren. Sie sind als neues Geschöpf versetzt in die Sphäre des »Geistes«, aus ihm heraus existieren sie. An die Stelle des »Fleisches«, das wesensnotwendig zu Teilung und Trennung führen muß, ist der »Geist« getreten, der als Geist Gottes wesensnotwendig einer ist und als schöpferische Kraft Gottes Einheit schafft. So haben beide »in einem Geiste« Zutritt zum Vater. Der Friede, der nun zwischen ihnen besteht, ist nicht einfach zwischenmenschlicher, irdischer Friede, es ist der Friede der Sphäre Christi, pneumatischer Friede, der im gleichen zutraulichen Verhältnis zu Gott seinen tiefsten Ausdruck findet.

II. Kapitel
Die theologische Konzeption des Epheserbriefes

Vergleich mit den anerkannten Paulusbriefen (einschließlich Kol) und traditionsgeschichtliche Einordnung der Konzeption des Epheserbriefes

1. DIE THEOLOGISCHE GRUNDKONZEPTION DES EPHESERBRIEFES

Ausgangspunkt unserer Untersuchung war der für den Epheserbrief im Zentrum stehende Begriff »Mysterium«. Die »Definition«, die Eph 3,6 lieferte, schien zunächst die Vermutung zu befürworten, daß der Inhalt dieses »Mysteriums« — die Kirche aus Juden und Heiden — eine rein pragmatische Beschreibung des zur Zeit der Abfassung des Briefes vorgefundenen Faktums sei. Nun zeigt aber schon ein oberflächlicher Überblick über die Exegese von Eph 2,11-18, daß dies nicht der Fall ist. In Eph 2,11-18 wird nämlich das Faktum der Kirche aus Juden und Heiden theologisch gedeutet. Die Kreuzestat Christi wird als ekklesiale Tat gewürdigt und der Ursprung der Kirche aus Juden und Heiden im Kreuzesgeschehen selbst angesiedelt.

Die entscheidende Frage ist nun, ob sich hinter dieser Interpretation des Kreuzesgeschehens eine bestimmte theologische Konzeption erkennen läßt. Wenn ja, deckt sich diese Konzeption mit der uns sonst aus den Homologumena bekannten oder nicht? Von der Beantwortung der letzten Frage wird abhängen, ob der Epheserbrief als echter Brief des Paulus oder als nachapostolisches Schreiben einzustufen ist. Letzteres besonders dann, wenn sich die Konzeption des Epheserbriefes nicht nur als Weiterentwicklung genuin paulinischen Denkens darstellen, sondern eine andere Struktur aufweisen sollte.

In diesem Zusammenhang muß besonders jenes eigentümliche Phänomen unser Interesse finden, das uns bei der Exegese von Eph 2,15f begegnete. Dort war die Schaffung der Kirche der Versöhnung mit Gott vorausgegangen. Christi Tat wird also primär ekklesiologisch verstanden und dann erst soteriologisch ausgedeutet. In der Tat ist dieser Primat der Ekklesiologie vor der Soteriologie keine zufällige Erscheinung unseres Abschnittes, sondern entspricht einer Grundstruktur im Denken des Verfassers. Das soll an zwei weiteren Texten kurz erläutert werden.

1.1. Eph 2, 1-10

Eph 2,1-10 scheint zunächst unserer These zu widersprechen, insofern es darin um das Heil, also um soteriologische Aussagen geht (und nicht um die Ekklesiologie). Unter dem Gesichtspunkt des Heiles fallen alle Unterschiede zwischen Juden und Heiden dahin. Beide waren »tot« (V. 1) bzw. »von Natur Kinder des Zornes« (V. 3), also solche, die des Heiles entbehrten. Jetzt aber sind sie durch Gottes Handeln »Gerettete« (σεσῳσμένοι V. 5.8). V. 8 (»denn vermöge der Gnade seid ihr gerettet durch Glauben«) scheint sich ganz auf der paulinischen Linie (Homologumena) von der »Gerechtigkeit aus Glauben« zu bewegen, der die »Gerechtigkeit aus Werken« (vgl. V. 9) gegenübergestellt werden könnte. Es sieht so aus, als ob die Soteriologie im Vordergrund steht, so daß man — wollte man hier eine Ekklesiologie entwerfen — sie aus der Soteriologie abzuleiten geneigt ist: Weil die Christen Gerettete sind, sind sie Kirche.

In den Kommentaren wird auf eine solche Problemstellung (Soteriologie — Ekklesiologie) nicht weiter eingegangen. Aber wenn etwa *H. Schlier* hier den »Glauben« von den Homologumena her verstehen möchte oder die »Werke« (V. 9) als Gesetzeswerke bezeichnet, das heißt als »solche Werke, die das Gesetz provoziert, und die ›Leistungen‹ des Menschen ohne Vorgabe Gottes darstellen«[1], dann müßte man Eph 2,1-10 in der eben angedeuteten Weise interpretieren.

Nun ist nicht zu leugnen, daß in Eph 2,1-10 soteriologische Aussagen gemacht werden. Doch wird dabei nicht »die historische Ebene des großen Christusereignisses«[2] als soteriologisches Geschehen gedeutet, sondern die Taufe.[3] Was Gott an Christus getan hat (vgl. 1,20-23), das vollzieht sich in der Taufe an den Glaubenden.

---

[1] Eph 116.

[2] *Schnackenburg*, Heilsgeschehen 70 .

[3] Vgl. *Schnackenburg*, aaO. 69ff; *Schlier*, Eph 109.

Das Hauptinteresse des Textes besteht darin, den Lesern zu sagen, was ihnen die Taufe eröffnet hat. Nun ist aber zu beachten, daß das, was die Taufe geschenkt hat, zunächst gar nicht als »Gerettet-Sein«, also mit einem spezifisch soteriologischen Terminus bezeichnet wird. Das, was dem alten Sein (V. 1-3.5a) entgegengesetzt wird, besteht in seiner Hauptaussage darin, daß Gott »uns ... mit Christus lebendig gemacht hat ... und mit (ihm) auferweckt und uns mit (ihm) in die Himmel versetzt hat in Christus Jesus« (V. 5f). »Das, was durch die Taufe ... geschehen ist, ist ein In-Christus-mit-Christus-in-die-Himmel-versetzt-worden-Sein«[4]. Die Glaubenden »sind nun in und mit Christus in seinem Leib, der Kirche, der ja in den Himmeln ist ...«[5]. *P. Stuhlmacher* hat daher unseren Abschnitt vollkommen richtig gedeutet, wenn er sagt, daß es hier um »die Annahme in die Kirchengemeinschaft«[6] gehe. Was den Einschub in V. 5 (»durch Gnade seid ihr gerettet«) anbelangt, so ist zweierlei zu beachten. Einmal liegt der Hauptton gar nicht auf »gerettet«, sondern auf »Gnade«. Der Einschub will also den Gnadencharakter des ansonsten in V. 5f Aufgeführten, das heißt des In-der-Kirche-Seins, betonen. Zum andern handelt es sich um eine Parenthese, die nur so zu verstehen ist, daß sie die übrige Hauptaussage von V. 5f — das In-der-Kirche-Sein — (als Gerettet-Sein) deuten will. Weil die Christen durch die Taufe in die Kirche versetzt wurden, sind sie die Geretteten. »In der Kirche sein« heißt »das Heil haben«. Da für den Epheserbrief die Taufe offensichtlich primär Eintritt in die Kirche ist, bekommen auch die soteriologischen Aussagen einen ekklesiologischen Untergrund. Im Grunde gilt auch für Eph 2,1-10, daß die Soteriologie aus der Ekklesiologie entwickelt wird.

Aus der Wendung »durch Glauben« (2,8) darf man nicht schließen, daß unser Abschnitt nach der Rechtfertigungslehre der Homologumena auszulegen sei. Typischerweise fehlt hier der Begriff der »Gerechtigkeit«, den der Epheserbrief überhaupt nicht mehr im eigentlich paulinischen Sinn kennt.[7] Auch sind die »Werke« (2,9) keine »*Gesetzes*-Werke«, die zur

---

[4] *Schlier*, Eph 110f.

[5] *Schlier*, Eph 111.

[6] Gerechtigkeit 217.

[7] »Gerechtigkeit« (δικαιοσύνη) findet sich in Eph: 4,24; 5,9; 6,14. Mag

Selbstaufrichtung der Gerechtigkeit führen. Dieses Problem bestand für den Epheserbrief nicht mehr.[8] All diese an die Homologumena erinnernden Worte wollen letztlich nichts anderes zum Ausdruck bringen als die totale Geschenkhaftigkeit, Unverdienbarkeit und deshalb auch Unrühmbarkeit dessen, was in der Taufe geschehen ist. V. 8f ist nichts anderes als eine Explikation der Parenthese von V. 5 und hat die nämliche Funktion. Der »Glaube« ist hier demnach die dem freien Gnadenruf Gottes antwortende Haltung des Menschen, das in dem von Christus eröffneten Heilsraum »Kirche« erschlossene Heil anzunehmen, und dort — »gegründet in Christus Jesus« — in den von Gott bereitgestellten »guten Werken« zu wandeln (V. 10). Gerade 2,10 dürfte bestätigen, daß 2,8f nicht im Sinne der Rechtfertigungslehre der paulinischen Hauptbriefe zu deuten ist.

1.2. Eph 5, 23.25-27

Auf die religionsgeschichtliche Problematik des gesamten Abschnittes Eph 5,22-33 braucht hier nicht eingegangen zu werden.[9] Entscheidend ist, daß darin an zwei Stellen der primär ekklesiologisch ausgerichtete Denkansatz deutlich zum Zuge kommt.

Eph 5,23 spricht von Christus als dem »Erlöser des Leibes« (σωτὴρ τοῦ σώματος). Diese Bezeichnung Christi ist »im NT singulär«[10]. Aber nicht nur das, auch der Gedanke, daß die Kirche (»Leib«) — zumindest in der logischen Reihenfolge — schon besteht, wenn sich an ihr die Erlösung, das Heil vollzieht, ist sehr eigentümlich und nur vorstellbar für einen Theologen, in dessen theologischer Denkstruktur die »Kirche« den logischen Vorrang hat. Im Grunde deckt sich Eph 5,23 genau mit 2,14ff, wo Christi Tat zuerst als ekklesiale Tat, der dann die Versöhnung mit Gott folgt, beschrieben wurde.

Eph 5,25b-27 spricht eindeutig von der Taufe:[11]

---

man hinter 4,24 noch den paulinischen Begriff vermuten, was allerdings durch den Parallelausdruck »wahrhafte Heiligkeit« sehr erschwert, wenn nicht unmöglich gemacht wird, so zeigen 5,9 (vgl. dagegen Gal 5,22!) und 6,14 deutlich, was »Gerechtigkeit« für Eph ist: eine christliche Tugend!

8 Siehe oben Kap. I 3.2.1.5.

9 Zum »Hieros Gamos« vgl. *Schlier,* Eph 264-276; Christus 60-75 (als Gegenposition etwa *Mußner,* Christus 147-153); *Gnilka,* Eph 290-294.

10 *Schlier,* Eph 254.

11 Zum »Wasserbad im Wort« vgl. *Schlier,* Eph 257; die verschiedenen Auslegungsversuche des Ausdrucks s. bei *Abbott,* Eph 168f.

Christus hat die Kirche geliebt und sich für sie dahingegeben, damit er sie heilige, nachdem er sie durch das Wasserbad im Wort gereinigt hat, damit er in herrlicher Gestalt die Kirche vor sich hinstelle, ohne Flecken oder Runzel oder dergleichen, damit sie heilig sei und untadelig.

Sachlich steht dieser Text in der Nähe von Eph 2,1-10. Der Unterschied besteht darin, daß dort die Taufe und der damit gegebene Stand der Glaubenden gedeutet wird, während hier Christi Tat der Ausgangspunkt ist und als ihr Ziel — in objektivierender Sprechweise — die Heiligung der Kirche in der Taufe angegeben wird. Daß die Kirche nach 5,25b schon als »bestehende Größe« bei der Tat Christi zugegen ist, zeigt, daß der Verfasser »die Kirche als entwickelte Erscheinung vor sich sieht und rückblickend die Bedeutung des Sühnetodes Christi für sie würdigt«[12]. Genau das aber ist typisch für die Denkweise des Verfassers. Er sieht die Kirche als objektiv vorhandene Größe, an der sich Christi Sühnetod auswirken kann im Wasserbad der Taufe. Zweierlei macht unsere Stelle klar: (1) Wenn der Verfasser den soteriologischen Aspekt des Todes Christi schildert, ist Kirche bereits existent (wie in 2,14ff). (2) Kirche geht ebenso dem in der Taufe aktualisierten Heilshandeln Christi voraus, ja ihre Existenz ist Voraussetzung dafür, daß in der Taufe Heilsgeschehen sich ereignen kann (vgl. 2,1-10).

1.3. Der Grundansatz für die Konzeption des Epheserbriefes

Die eben besprochenen Stellen, die jeweils den Primat der Ekklesiologie vor der Soteriologie bezeugen, werden letztlich erst dann verständlich, wenn man dahinter einen Verfasser sieht, dessen theologische Konzeption primär ekklesiologisch strukturiert ist. Die »Kirche« ist für den Verfasser die theologische Zentralidee schlechthin. Die Kirche ist das Faktum, das er betrachtet und meditiert. Aber nicht nur so, daß er mit überkommenen theologischen Begriffen dieses Faktum interpretiert, sondern »Kirche« selbst ist der Begriff oder die Idee, von wo aus alle anderen Theologumena gedacht und entwickelt werden.

---

12 *Schnackenburg*, »Er hat uns mitauferweckt« 178.

Eigenart eines theologischen Zentralbegriffes ist es immer, daß er objektiviert wird in dem Sinne, daß er sich nicht aus anderen Begriffen innerhalb derselben Konzeption konstituieren läßt, sondern selbst als objektiv und in sich bestehend zum logischen Konstitutivum und Interpretament der anderen Begriffe wird. So ist für Paulus (Homologumena) die »Gerechtigkeit (Gottes)« ein solch objektiver Begriff, von dem aus die übrige Theologie konzipiert und konstituiert wird. Für den Epheserbrief ist der entsprechende Begriff oder die entsprechende Idee die »Kirche«.[13]

Indem für den Verfasser des Epheserbriefes die Kirche objektive Vorgegebenheit seines theologischen Denkens ist, wird diese Kirche selbst zu einer objektiven Größe, die mehr oder minder unabhängig von den Gläubigen besteht.[14] Von da aus ist die *Schlier*sche Bezeichnung der Kirche als »Raum« theologisch sachgemäß.[15] Die Kirche ist der Raum, in dem das Heil erreichbar ist. Wer in sie — als Glaubender — eintritt, ist gerettet (vgl. 2,1-10).

Aus der Tatsache, daß der Epheserbrief die Kirche als objektive Gegebenheit betrachtet, darf man freilich nicht den Schluß ziehen, er würde sie verabsolutieren und damit wieder — als Rückschritt gegenüber den Homologumena — in judaisierendes Denken zurückfallen.[16] Die Kirche ist genau so wenig verabsolutiert wie die »Gerechtigkeit« in den anerkannten Paulusbriefen. Kirche (Eph) und Gerechtigkeit (Paulus) sind ja gerade deswegen objektive Gegebenheiten, weil sie in Gott bzw. in Christus begründet

---

[13] Es liegt nur in der Konsequenz dieser Konzeption, wenn »Gerechtigkeit« in Eph nicht mehr die paulinische iustificatio meint (vgl. *Dibelius*, Eph 87: »läßt nicht ahnen, welches Gewicht das Wort in den älteren Paulinen hat«), sondern mehr ins Ethische zielt (vgl. *Stuhlmacher*, Gerechtigkeit 216).

[14] Kirche wird im Kreuz Christi konstituiert (vgl. 2,14ff) und nicht durch die Gläubigen. Das heißt allerdings nicht, daß Kirche für Eph ein abstraktes Wesen sei, das irdisch überhaupt nicht greifbar wäre. Kirche ist zwar ein himmlisches Anwesen, da sie eine eschatologische, nicht aus dieser Welt heraus erklärliche Existenz hat. Aber dieser eschatologische Raum des Heiles ist auch eine sehr konkrete, weltlich sichtbare Größe, insofern er von den Glaubenden »ausgemacht« wird.

[15] So des öfteren in seinem Eph, vgl. z. B. 99.

[16] Hier geht *Stuhlmacher*, Gerechtigkeit 216f zu weit.

sind. Selbst wenn für den Epheserbrief die Kirche der *Raum* des Heiles ist, weiß er sehr genau, daß Kirche keine »Heilsanstalt« ist, die aus sich das Heil gewähren könnte. Kirche ist Raum des Heiles, weil Christus diesen Raum geheiligt hat in seinem Sühnetod (vgl. 5,23) und weil er diesen Raum in der Taufe immer neu aktualisierend heiligt (5,25ff). Kirche ist Raum des Heiles, sofern und weil sie in Christus besteht und als solche das Heil repräsentiert. Umgekehrt sind so die »In Christus«-Formeln des Epheserbriefes primär ekklesiologische Formeln. In Christus ist, wer in der Kirche ist, und so ist er gerettet und geheiligt.

Genau dieser Grundansatz des Epheserbriefes führt bei Anwendung auf die Kreuzestat Christi zu jener Eigentümlichkeit von 2,14ff, wo die Existenz der Kirche der Versöhnung mit Gott vorangeht. Gerade weil Kirche für den Verfasser der objektiv gegebene Raum des Heiles ist, muß er sie, will er sie nicht zu einer eigenmächtigen Heilsanstalt verabsolutieren, in der Kreuzestat Christi begründen. Christi Kreuz tut Kirche auf. Indem nun Christus die einstmals Getrennten in diesen Raum gründet, kann er beiden das Heil, die Versöhnung mit Gott gewähren. Kirche ist der Raum, in dem und durch den Christus das Heil schafft. So muß die Ekklesiologie im Epheserbrief immer den Vorrang vor der Soteriologie haben.

2. DIE THEOLOGISCHE KONZEPTION DES EPHESERBRIEFES IM VERGLEICH MIT DER DER HOMOLOGUMENA[1]

Schon aus den vorausgehenden Ausführungen ergibt sich eigentlich, daß sich der Epheserbrief von den Homologumena unterscheidet. Da sich beide aber gerade im Ansatz des theologischen Denkens unterscheiden, wird man wohl sagen müssen, daß der Epheserbrief nicht von dem Paulus der Homologumena geschrieben sein kann.

---

[1] Der bezüglich seiner Verfasserschaft umstrittene Kol wird hier zunächst ausgeklammert und später mit Eph verglichen.

Im folgenden seien die Differenzen zwischen dem Epheserbrief und den Homologumena an einigen Beispielen, die im Zusammenhang mit der vorangegangenen Exegese von Eph 2,11-18 stehen, verdeutlicht.

2.1. Die Reihenfolge Ekklesiologie - Soteriologie

Als theologischen Zentralbegriff des Paulus könnte man die »Gerechtigkeit (Gottes)« (δικαιοσύνη [θεοῦ]) ansprechen. Von da aus gestaltet er seine Christologie und Ekklesiologie, wobei sich bei ihm gar keine eigentliche Lehre von der »Kirche« findet.[2] Kirche ist jedenfalls nicht eine objektiv gegebene Größe wie im Epheserbrief, sie wird vielmehr von der »Gerechtigkeit Gottes« abgeleitet. Die »δικαιοσύνη θεοῦ (ist) die theologische Mitte ... des paulinischen Kirchengedankens«[3], und zwar in christologischer Spezifikation: Der Gedanke der »Gerechtigkeit Gottes« wird von der paulinischen Christologie dahingehend gedeutet, »daß Gott durch Christus, an Christus und in Christus zu seinem Recht gelange. Nun fügt sich auch die paulinische Ekklesiologie dieser Sicht ein, indem sie sich als eine Funktion eben dieser Christologie erweist«[4].
So wäre für Paulus eine Konzeption, wie sie in Eph 2,11-18 begegnet, unmöglich. Er könnte nicht sagen, daß Christus zunächst den Raum der Kirche auftut, und dann, indem er die Menschen in diesen Raum gründet, sie mit Gott versöhnt. Paulus würde genau umgekehrt sprechen: In Christus offenbart sich Gottes Gerechtigkeit (vgl. Röm 3,21). In Anwendung auf den Menschen heißt das: Er ist gerechtfertigt bzw. mit Gott versöhnt. Kirche aber würde als Folge der »Gerechtigkeit« bzw. der »Versöhnung« (καταλλαγή)[5] erscheinen.

---

[2] *Schmidt*, ThW III 511,35ff.

[3] *Stuhlmacher*, Gerechtigkeit 215.

[4] *Stuhlmacher*, aaO. 214. Vgl. auch *Schnackenburg*, Theologie 88: »Die paulinische Christologie ist vor allem *soteriologisch* bestimmt«.

[5] Zur Austauschbarkeit der beiden Begriffe vgl. *Bultmann*, Theologie 285-287. – Zum Verhältnis von Rechtfertigung und Versöhnung vgl. auch *Käsemann*, Versöhnungslehre. Wenn das Urteil *Käsemanns* richtig ist, daß das Motiv der Versöhnung aus der Doxologie der hellenistischen Gemeinde stammt, beleuchtet das sehr gut unsere These. Bei Pau-

Speziell für das Problem »Juden — Heiden« würde Paulus den Unterschied zwischen beiden nicht dadurch aufheben, daß Christus die beiden zu einer Kirche macht oder in sich zu einem neuen Menschen schafft, sondern dadurch, daß Christi Tat »Gerechtigkeit« bewirkt, die im Glauben erreicht werden kann und alle Unterschiede beseitigt (vgl. Röm 10,11; 3,29f). So sind Juden und Heiden als Gerechtfertigte und Versöhnte die Kirche Gottes. Sehr deutlich tritt Kirche als Funktion der »Gerechtigkeit« bzw. auch der »Versöhnung« in 2 Kor 5,20f in Erscheinung, wo die Gemeinde selbst als »Gerechtigkeit Gottes« bezeichnet wird.

Auch 1 Kor 12,13 läuft nicht auf die Sicht von Eph 2,14ff hinaus. Dort heißt es: ». . . wir alle wurden zu einem Leib (oder: in einen Leib hinein) getauft, ob Juden, ob Griechen, ob Sklaven, ob Freie . . .«. Zunächst könnte man meinen, der »Leib« sei hier eine für sich bestehende Größe, in den die Gläubigen versetzt werden, so daß damit — ähnlich wie im Epheserbrief — alle Unterschiede dahinfallen. Doch ist zu berücksichtigen, daß es sich in 1 Kor 12,13 um die Taufe, nicht um Christi Kreuzestat wie in der Eph-Stelle handelt. Wie sehr aber »Getauft-Werden« bei Paulus den Gedanken der »Gerechtigkeit« impliziert, zeigt Gal 3,24-29 sehr deutlich. »Getauft-Werden« heißt »Christus anziehen« (V. 27), heißt »Sohn Gottes sein durch den Glauben an Christus Jesus« (V. 26), heißt »aus Glauben gerechtfertigt werden« (V. 24). Weil in der Taufe sich »Gerechtigkeit« aktualisiert, sind alle nur noch »einer« (V. 28). In 1 Kor 12,13 ist im Grunde derselbe Gedanke ausgesprochen, nur daß hier die »Ein«-heit, die aus Taufe und Gerechtfertigtwerden resultiert, gegen das Mißverständnis eines einheitlichen Pneumatikertums[6] dadurch geschützt wird, daß sie als

---

lus nämlich dient die Versöhnungsaussage »der Zuspitzung der Rechtfertigungslehre« (aaO. 49), bzw. dazu, »die Konsequenz dieser Lehre sichtbar zu machen« (58). Auch in Eph ist die Versöhnung nicht isoliert, auch dort ist sie Konsequenz, allerdings nicht mehr der »Gerechtigkeit« setzenden Tat Gottes in Christus, sondern Konsequenz der kirchenkonstituierenden Tat Christi (vgl. Eph 2,15f). Hier sieht man deutlich, wie derselbe Begriff durch Einbau in einen verschiedenen Grundansatz (Rechtfertigung — Kirche) unterschiedliche Strukturen bekommt. — Nicht annehmbar ist jedoch die Abqualifikation der Deuteropaulinen durch *Käsemann* (58f). Es ist einfach falsch, daß dort die Christologie der Ekklesiologie eingeordnet würde. Eph geht es — genau wie den Homologumena — um das eine Christusereignis, nur daß er es unter dem Gesichtspunkt der Ekklesia entfaltet, was die Homologumena unter dem Gesichtspunkt der Gerechtigkeit Gottes getan hatten.

[6] So wohl bestimmte Kreise in Korinth.

Einheit »eines *Leibes*« spezifiziert wird, die die Vielfalt verschiedener charismatischer Begabungen impliziert.[7] So setzt auch hier der Kirchengedanke die Rechtfertigungslehre voraus. Gerade in der Taufauffassung unterscheiden sich Paulus und der Epheserbrief: die des ersteren hat die Rechtfertigungslehre, die des letzteren (vgl. Eph 5,25ff) die Ekklesiologie zum Vehikel.

2.2. Die Fragestellung von Eph 2,14-18

Die für den Exkurs von Eph 2,14-18 maßgebliche Frage lautete: »Wie ist es möglich, daß Juden *und* Heiden eschatologisches Gottesvolk sein können?«. Entsprechend ist in Eph 3,6 die Möglichkeit und Tatsache, daß auch die Heiden zur Kirche gehören, als Inhalt des »Mysteriums« genannt.

Für Paulus kann eine solche Fragestellung gar nicht akut werden, wenn er seine, bei der »Gerechtigkeit Gottes« ansetzende theologische Konzeption konsequent durchführt. Wenn Christi Tat in erster Linie Offenbarung der Gerechtigkeit Gottes ist (vgl. Röm 3,21), die wegen ihres außer Frage stehenden Gnadencharakters vom Menschen nicht durch Leistung (»Werke«), sondern nur im Glauben erreichbar ist, dann ist eo ipso klar, daß Gottes Gerechtigkeit den Glaubenden — seien es Juden oder Heiden — gilt, so daß von vorneherein alle Unterschiede dahinfallen. Die Annahme der Heiden kann deshalb, wie *M. Dibelius* richtig bemerkt, kein Mysterium für Paulus sein.[8] Von einer fundamentalen Feststellung, wie »Gott ist *einer,* der die Beschneidung aus Glauben und die Unbeschnittenheit durch den Glauben gerechtsprechen wird« (Röm 3,30), läßt sich die Fragestellung des Epheserbriefes nicht ableiten. Für Paulus muß eher die umgekehrte Frage laut werden: »Wie kann

---

[7] Entsprechend fehlt in 1 Kor 12,13 der Gedanke des Eph, daß Juden und Heiden den »Leib« ausmachen. Der Zusatz »ob Sklaven, ob Freie« versperrt diese Sicht. Es geht in 1 Kor vielmehr darum, daß durch das Anziehen Christi in der Taufe und der damit verbundenen Annahme der »Gerechtigkeit« im Glauben (vgl. die Gal-Stelle) die alten Seinskategorien (Jude — Heide, Sklave — Freier) gegenstandslos geworden sind und an ihre Stelle die eine neue Seinsqualität des »in Christus« (vgl. Gal 3,28) getreten ist, die in der Vielfalt des »einen Leibes« zum Ausdruck kommt.

[8] Eph 84.

Israel verloren gehen?«. Tatsächlich findet sich die Fragestellung des Epheserbriefes nirgends in den Homologumena, wohl aber die eben angedeutete (vgl. z. B. Röm 9-11). Entsprechend beinhaltet das »Mysterium«, das Röm 11,25ff verkündet, die endgültige Rettung von »ganz Israel«.

Wo die Ekklesiologie Funktion der Rechtfertigungslehre ist, braucht man nicht zu fragen, wie Juden *und* Heiden Kirche sein können. Denn die Antwort ist bereits im theologischen Ansatz enthalten. Die in Christus offenbarte Gerechtigkeit Gottes schafft beiden Heil, sofern sie glauben, und macht sie so zur Heilsgemeinde (Kirche). Wo aber die Soteriologie Funktion der (an »Israel« orientierten) Ekklesiologie ist, *muß* man fragen, wie nun die Heiden zusammen mit den Juden Kirche sein und damit das Heil haben können, zusammen mit den Juden, das heißt mit jenem völkischen Bereich, der kraft »Verheißung« und »Israel«-Bewußtsein die eschatologische Vollendung erwartete. Und die Antwort kann dann nur lauten, daß Christus aus beiden ein neues Geschöpf geschaffen habe (Kirche), so daß beiden die Versöhnung mit Gott, das Heil, zukommt. Damit ist aber bereits der nächste Punkt angeschnitten, der das weiter erläutern kann.

2.3. Das Verständnis von »Israel«

Für den Epheserbrief wie für Paulus ist »Israel« von Haus aus ein ekklesiologischer Begriff, insofern er die Idee des Gottesvolkes beinhaltet. Beide übernehmen die Vorstellung von »Israel« als dem Gottesvolk aus der jüdischen Theologie.[9] Doch ist im Gegensatz dazu für Paulus und für den Ephesrbrief »Israel« allein in der »Verheißung« Gottes begründet, nicht etwa in Beschneidung, physischer Abrahamskindschaft oder Gesetz. Das hindert freilich nicht, daß auch Paulus und der Epheserbrief sich gerade hier in bezeichnender Weise unterscheiden.

Weil für Paulus die »Verheißung« in der in Christus offenbarten »Gerechtigkeit« ihr Ziel hat, muß er — so Gal 3 — den jüdischen Anspruch, »Israel« zu sein, total demontieren. »Söhne Abrahams«

---

[9] Paulus wohl direkt, Eph aus paulinischer Tradition.

sind bloß »die aus dem Glauben« (V. 7). Die Verheißung gilt nur dem »Samen« (Singular!), das heißt Christus (V. 16). Das »Israel Gottes« (6,16) ist die Kirche.[10] Aus der Sicht der Gottesgerechtigkeit muß Paulus den Titel »Israel« dem jüdischen Volk entziehen und *dem* Gottesvolk zusprechen, das im Glauben unter der »Gerechtigkeit« steht. — Etwas anders ist das Verfahren des Paulus in Röm 9-11. Hier spricht er dem physischen Israel durchaus den Titel »Israel« zu (vgl. 9,31; 10,19.21; 11,2.7).[11] Auch hier ist die Verheißung (vgl. das »Wort Gottes« in 9,6) konstitutiv für »Israel«. Aber er weist nach, daß die Verheißung in Gottes auserwählendem Ruf (9,6-13) begründet ist und sich durchhält. Insofern das jüdische Volk tatsächlich unter Gottes Ruf gestanden hat, gesteht ihm Paulus den Titel »Israel« zu. Insofern aber durch das Christusereignis sich Gottes Gerechtigkeit erwiesen hat, die sich als eschatologischer Ruf Gottes an Juden wie Heiden versteht (vgl. 9,24), muß er sofort einschränken: »Nicht alle, die aus Israel sind, die sind Israel« (9,6). »Israel« ist jetzt das Auswahl-Israel[12] (vgl. 9,11; 11,7), der »Rest« (11,5), den Gott berufen (9,11f) bzw. ausgewählt hat. Mit Röm 9,6 kommt Paulus zu einem »dialektischen Israelbegriff«[13], entsprechend dem Begriff »Jude«, den er schon in Röm 2 »dialektisch gebraucht«[14] hat. Diese Dialektik — das soll noch einmal betont werden — hat ihren Grund darin, daß Paulus das Christusereignis und damit das Ziel der Verheißung als Manifestation der »Gerechtigkeit Gottes« begreift, der sich Israel verschlossen hat (9,30-10,3), so daß Röm 9,6 Geltung hat. Aus dieser dialektischen Sicht Israels entwickelt dann Röm 11 eine heilsgeschichtliche Schau, welche die Rettung ganz Israels erwarten läßt.

Andere Konturen nimmt »Israel« im Epheserbrief an. Bei der Exegese von Eph 2,12 war die unterschiedliche Deutung der »Gemeinde Israels« in der Forschung (Kirche bzw. jüdisches Volk) aufgefal-

---

[10] Vgl. *Schlier,* Gal 283; *Oepke,* Gal 163; *Gutbrod,* ThW III 390,32ff. Das entspricht auch dem grundsätzlichen Aspekt, unter dem Gal steht, vgl. *Müller,* Gottes Gerechtigkeit 103.

[11] *Müller,* aaO. 92.

[12] Vgl. *Maier,* Israel 17.

[13] *Müller,* aaO. 93.

[14] *Dinkler,* Prädestination 83; vgl. *Müller,* aaO. 51.

len. Die Divergenz in der Auslegung wird nun verständlich. Denn »Gemeinde Israels« ist für den Epheserbrief ein rein ekklesiologischer Begriff — ohne Modifikation durch die Idee der »Gerechtigkeit« — und somit offen für beides. Da »Israel« durch die Verheißung konstituiert ist, die sich in der Kirche realisiert, ist Kirche immer auch »Gemeinde Israels«. Da aber für den Epheserbrief die Kirche und nicht die Rechtfertigung das primäre Ziel der Verheißung ist, ist der Verfasser nicht gezwungen, das physische Israel gerade unter dem Gesichtspunkt der »Gerechtigkeit« als »Israel« zu demontieren (so Gal) oder zu dialektisieren (so Röm). Der Epheserbrief kann von seinem ekklesiologischen Blickpunkt aus sagen, daß auch das physische Israel (die »Beschneidung«, 2,11), da und insofern es unter der Verheißung stand, schon »Gemeinde Israels« war, ohne damit die Verheißung von der Beschneidung abhängig zu machen.

Der Unterschied kann durch eine Gegenüberstellung von Röm 3 und Eph 2 verdeutlicht werden:
Röm 3,1f läßt einen ähnlichen Ansatz wie Eph 2,11-13 erkennen. Der Vorzug des jüdischen Volkes wird ausdrücklich anerkannt: »Was für einen Vorzug hat nun der Jude? Oder was für einen Nutzen hat die Beschneidung? Viel in jeder Hinsicht!« Er besteht vor allem darin, daß den Juden die »Bundesverheißungen«[15] anvertraut wurden, die den »Bündnissen der Verheißung« von Eph 2,12 vergleichbar sind.
Typisch ist nun aber der Gedankengang, in dem Röm 3,1f und Eph 2,12 ihren Platz haben. Paulus geht von dem für den Gottesvolkgedanken konstitutiven Begriff der »Bundesverheißungen« aus. Da er aber diesen Ausgangspunkt von der »Gerechtigkeit Gottes« her betrachtet, muß er schließlich sagen, daß die Juden »ganz und gar nicht« einen Vorzug haben, denn »alle stehen unter der Sünde« (V. 9): »Keiner ist gerecht, auch nicht einer« (V. 10). Da so Juden und Heiden »in unterschiedsloser Solidarität«[16] sind, kommt nun die in Christus geoffenbarte »Gerechtigkeit Gottes« allen zu, die glauben (V. 21-24). Die Vorstellung der Kirche wird hier zwar nicht mehr entfaltet, aber aus dem ganzen Gedankengang wäre Kirche als die Gemeinschaft der im Glauben Gerechtfertigten zu verstehen.
Das Verfahren des Paulus ist somit klar: Er geht aus vom Volk der Juden, dessen Vorzug er gerade vom Gedanken des Gottesvolkes, also letztlich von einer ekklesiologischen Idee her nicht leugnen kann und will. Aber er

---

[15] So sind die λόγια τοῦ θεοῦ wohl zu übersetzen, vgl. *Schmidt*, Röm 57.
[16] *Dinkler*, Prädestination 84.

muß diesen »ekklesiologischen« Vorzug von dem im Zentrum seiner Denkstruktur stehenden Gedanken der »Gerechtigkeit Gottes« her relativieren bzw. für die Juden demontieren: Juden und Heiden erscheinen als eine Unheilsgemeinde, der die »Gerechtigkeit Gottes« im Glauben geschenkt wird. Erst von hier aus kann Paulus zu einer Ekklesiologie vorstoßen, wenn er den Gedanken der »Gerechtigkeit Gottes« nicht aufgeben will.

Anders ist das Verfahren des Epheserbriefes: Bevor er in 2,11-13 den Vorzug der Juden zur Sprache bringt, hat er schon in 2,1-3 Juden und Heiden unter soteriologischem Gesichtspunkt nivelliert:[17] Beide sind Sünder. Dieser Gedanke entspricht in seinem Effekt etwa der paulinischen Sicht, die von der Gerechtigkeit Gottes her alle als Unheilsgemeinde erscheinen läßt. Trotzdem kann Eph 2,11-13 nach bereits erfolgter Nivellierung noch einen Unterschied zwischen Juden und Heiden erkennen, und zwar aus ekklesiologischer Sicht, die das Zentrum seiner Denkstruktur ausmacht. Er relativiert also den soteriologischen Gedanken, daß alle Sünder und gleich sind. Die Juden sind doch besser daran, weil sie Relation zur Kirche haben. Juden und Heiden, die beide in so unterschiedlicher Situation sind, gilt dann die Einheit schaffende Tat Christi, die beide in einer Kirche begründet, deren Folge dann die Versöhnung mit Gott darstellt. In — gegenüber den Homologumena — reziproker Weise ist hier die Soteriologie (Versöhnung, Rechtfertigung) Funktion der Ekklesiologie.[18]

Der Unterschied zwischen Paulus und dem Epheserbrief läßt sich zusammenfassend so formulieren: Paulus muß den als ekklesiologischen Begriff (Gottesvolk!) übernommenen Israelbegriff, da er Kirche und Gottesvolk, also die Ekklesiologie, in der »Gerechtigkeit

---

[17] Das hindert nicht, daß Eph 2,1-10 einen ekklesiologischen Untergrund hat, s. oben 1.1 (II. Kap.).

[18] Zur Formel »dem Juden zuerst und auch dem Griechen (= Heiden)« (Röm 1,16; 2,9f) ist zu bemerken: Für ihr Verständnis ist die unter dem Gesichtspunkt der »Gerechtigkeit Gottes« erfolgte Dialektisierung der Begriffe »Jude«, bzw. »Israel« (Röm 2; 9-11) zu berücksichtigen. Was Paulus mit dieser, wohl aus der »Missionsauffassung des jerusalemer Judenchristentums« (*Munck*, Christus und Israel 22) übernommenen Formel meint, ist mit den oben gemachten Bemerkungen zu Röm 3 eigentlich schon gesagt. Für Israel gilt ein »Zuerst«, es hat einen »Vorzug« (vgl. Röm 3,1). Das ist jedoch kein »natürlicher oder geschichtlicher Vorzug« (*Schlier*, Mysterium Israels 233) oder ein »soteriologisches Privileg« (*Dinkler*, Prädestination 83). Denn Paulus betrachtet diesen Vorzug von der »Gerechtigkeit Gottes« aus und so gilt: »Das περίσσον (= Vorzug, Anm. d. Verf.) der Juden (3,1) kehrt sich im Gericht gegen sie« (*Müller*, Gottes Gerechtigkeit 50).

Gottes« begründet und zentriert, entweder als rein eschatologischen Begriff nur der in der »Gerechtigkeit Gottes« begründeten Kirche vorbehalten (Gal) oder als dialektischen Begriff dem in Gottes Ruf begründeten physischen Israel zugestehen unter sofortiger Betonung, daß gerade der Ruf Gottes, der im Christusereignis Gottes Gerechtigkeit offenbart, dieses Israel als Auswahlisrael konstituiert (Röm). Unter dem soteriologischen Ansatzpunkt des Paulus (Rechtfertigungslehre) muß der ekklesiologische Anspruch der Juden, »Israel« zu sein, entweder demontiert oder dialektisiert werden. — Der Epheserbrief hingegen hat von seinem ekklesiologischen Ansatzpunkt her beides nicht nötig. Er kann den ekklesiologischen Begriff »Israel«, der in eschatologischer Tendenz zur Kirche steht, sofort seiner ekklesiologischen Konzeption einverleiben und als Fragestellung im Sinne seines Anliegens[19] fruchtbar machen: »Wie können Juden *und* Heiden am eschatologischen Israel der Kirche teilhaben?«. Freilich muß bemerkt werden, daß solche Übernahme des Israelbegriffes für den Epheserbrief nur möglich war, weil er ihn nicht direkt aus der jüdischen Theologie, wo der Zusammenhang mit Beschneidung und Gesetz wesentlich war, sondern aus paulinischer Tradition aufgenommen hat, wo die »Verheißung« Konstitutivum Israels geworden war.

2.4. Das Verständnis des »Gesetzes«[20]

Bezeichnend ist, daß Paulus das »Gesetz« immer im Zusammenhang mit dem Rechtfertigungsgedanken diskutiert. Er muß ja auch gegen eine Auffassung kämpfen, die das Gesetz als Möglichkeit zur Erreichung der Gerechtigkeit, also als Heilsweg versteht. Unter diesem Aspekt muß das Gesetz der Provokation von Sünde und Leistung dienen, da es nur zur Aufrichtung der »eigenen Gerechtigkeit«

---

[19] Eines der vordringlichsten Anliegen des Eph ist höchstwahrscheinlich mit *Chadwick* (Absicht) darin zu sehen, daß einem nachpaulinischen Heidenchristentum die heilsgeschichtliche Provenienz der Kirche aus Israel vor Augen gestellt werden mußte; vgl. *Kümmel*, Einleitung 263.

[20] Auf die ganze Problematik der paulinischen Gesetzesauffassung kann hier natürlich nicht eingegangen werden; vgl. dazu *Bultmann*, Theologie 260-270; *Conzelmann*, Grundriß 244-251.

(und nicht der Gerechtigkeit Gottes) (vgl. Röm 10,3) verhilft. So muß dann Paulus den Dienst des Gesetzes als »Dienst des Todes« (2 Kor 3,7; vgl. 3,9) charakterisieren oder das Gesetz direkt als »Gesetz der Sünde und des Todes« (Röm 8,2; vgl. 7,10.13) bezeichnen.

Von diesem paulinischen Ansatz her denken auch die Exegeten (*H. Schlier* u. a.), die das Gesetz in Eph 2,15 als Trennwand zwischen Mensch und Gott verstehen. Nun ist aber, wie die Exegese ergeben hat, eine solche Deutung für den Epheserbrief nicht möglich. Andererseits wäre aber auch von der paulinischen Vorstellung der »Gerechtigkeit Gottes« her eine solch objektivierte Aussage wie Eph 2,14f nur schwer denkbar. Denn für Paulus ist nicht das Gesetz als solches etwas Schlechtes, es ist vielmehr »das Gute«, es ist »geistlich« (Röm 7,13f). Es wurde zum Gesetz des Todes, weil der Mensch »fleischlich« (ebd.) ist und die Forderung des Gesetzes nicht erfüllen kann. Nur so kann man die Aussagen des Paulus verstehen, daß das Gesetz eine Zwischengröße ist (Gal 3) oder daß Christus das »Ende des Gesetzes« ist (Röm 10,4). In Christus ist das Gesetz zu Ende, weil es als Heilsweg zu Ende ist. »Als sittliche Forderung« bleibt es »in Kraft«[21]. Eine solch scharfe Aussage, daß das Gesetz »vernichtet« ist (Eph 2,15), könnte Paulus nicht machen. In Röm 3,31 verneint er ausdrücklich die Frage: »Vernichten wir also das Gesetz durch den Glauben?«. Was dem »Vernichten« zum Opfer fällt, ist »der Leib der Sünde« (Röm 6,6), bzw. wir selber »werden vom Gesetz entbunden (im Griechischen dasselbe Wort wie »vernichten«)« (Röm 7,6). »Vernichtet« wird also der Mensch in seiner fleischlichen Verfassung, dem das Gesetz zum Verhängnis werden muß. Vom paulinischen Ansatz der Gerechtigkeit Gottes her ist das Gesetz immer auch sittliche Forderung[22] und als solche ist es Gottes Wille.[23] Da es aber den Menschen trifft, der »Fleisch« ist, wird es zum Todbringer und zum Fluch (Gal 3,13). Christi Tat ist Befreiung vom Fluch (ebd.), Beendigung des Gesetzes »zur Gerechtigkeit für jeden, der glaubt« (Röm 10,4).

---

[21] *Conzelmann*, Grundriß 247.

[22] Das gilt auch für Gal, wenn dort auch das Ritualgesetz im Vordergrund steht.

[23] Vgl. *Bultmann*, Theologie 263.

Von der ekklesiologischen Sicht des Epheserbriefes muß nun auch das »Gesetz« ein anderes Verständnis bekommen. Man kann ja schlecht sagen, daß das Gesetz, qua sittliche Forderung, Juden und Heiden trennt und somit von der Kirche ausschließt, wie es bei Paulus den fleischlichen Menschen von der Gerechtigkeit Gottes ausgeschlossen hat. Von der Kirche her spielt aber das spezifisch jüdische Gesetz (besonders in seiner kultisch-rituellen Ausprägung) eine Rolle, da es zwei Bereiche schafft, deren einer kraft der »Verheißung« Kirchentendenz hat. Damit soll natürlich nicht gesagt sein, daß die Verheißung in einem kausalen Konnex mit dem Gesetz steht. Aber das Gesetz hält die Heiden eben von der Verheißung fern. So ist das »Gesetz« für den Epheserbrief nicht das Gesetz qua sittliche Forderung, sondern qua jüdisches Gesetz (»das Gesetz der in Satzungen bestehenden Gebote« 2,15). Als solches objektiviert es Juden und Heiden zu den Bereichen der »Beschneidung« und der »Unbeschnittenheit« (2,11), zu den »beiden Bereichen« (τὰ ἀμφότερα) (2,14), und steht so dem Heil, das sich in der Kirche präsentiert, im Wege. Deshalb muß nach der Konzeption des Epheserbriefes Christus dieses Gesetz »vernichten« (2,15), um so Kirche zu schaffen und Heil zu gewähren in der Versöhnung mit Gott.

Ein Vergleich von Röm 2 und Eph 2 kann den unterschiedlichen Ansatz des Paulus und des Epheserbriefes veranschaulichen:
Unter dem Aspekt der Gottesgerechtigkeit, bzw. als sittliche Forderung, ist das Gesetz auch für die Heiden eine »in ihren Herzen« (Röm 2,15) vorfindliche Größe und Anforderung, die sie wie die Juden unter den »Zorn «Gottes stellt (vgl. Röm 2,5). So läßt bei Paulus gerade das Gesetz Juden und Heiden als *eine* Unheilsgemeinde erscheinen.
Im Epheserbrief geschieht genau das Umgekehrte. Das jüdische (kultisch-rituelle) Gesetz legt die »Verheißung«, und damit auch was »Gemeinde Israels« beinhaltet, auf die »Beschneidung« fest, schafft Trennung, Feindschaft zwischen Juden und Heiden.

So zeigt auch das unterschiedliche Verständnis des Gesetzes, daß das theologische Denken des Paulus und des Epheserbriefes einen je verschiedenen Ansatz hat.

3. DIE EIGENSTÄNDIGKEIT DER THEOLOGISCHEN KONZEPTION DES EPHESERBRIEFES

3.1. Die theologische Konzeption des Epheserbriefes und ihre Bedeutung für die Verfasserfrage

Die These, daß der Epheserbrief kein echter Paulusbrief sei, ist nicht neu.[1] Zur Begründung wurden die verschiedensten Argumente geltend gemacht. Unter rein sprachlichem Aspekt verwies man hauptsächlich auf die große Zahl der Hapaxlegomena,[2] bestimmte, nicht in den Homologumena anzutreffende Spracheigentümlichkeiten[3] und auf den plerophorischen, stark liturgisch geprägten Stil[4] des Briefes. Darüberhinaus hat besonders *M. Dibelius* auf das literarische Verwandtschaftsverhältnis des Epheserbriefes zum Kolosserbrief rekurriert, das nach seiner Meinung den Punkt darstellt, »von dem aus die Echtheitsfrage zu entscheiden ist«[5]. Dibelius konnte an einigen Beispielen zeigen, daß trotz Übereinstimmung in der Terminologie wichtige Begriffe des Epheserbriefes (Leib, Mysterium, versöhnen) in ihrem Inhalt über den Kolosserbrief hinausgehen.[6] Diese Beobachtungen lassen sich auf weitere Termini und Vorstellungen ausdehnen.[7] Schließlich konnte man darauf aufmerk-

[1] Die Echtheit des Eph wird erstmals bestritten von *E. Evanson,* The Dissonance of the four generally received Evangelists and the Evidence of their respective Authenticity examined, Ipswich 1792, 261f. – Zur Forschungsgeschichte vgl. *Schmid,* Epheserbrief 1-15; *Percy,* Probleme 1-9. Auf keinen Fall sollte man – auch im Falle der Unechtheit – von »Fälschung« sprechen, vgl. dazu *Gnilka,* Eph 13-21.

[2] *Mitton,* Ephesians 8, spricht von über 90 Wörtern, die nicht in den anderen Paulusbriefen vorkommen. *Percy,* Probleme 179f, zählt 40 ntl. und 51 paulinische Hapaxlegomena, sowie 25 Wörter, die sich nur noch in Kol finden.

[3] Vgl. *Kümmel,* Einleitung 258.

[4] Vgl. *Percy,* Probleme 185-191; *Schlier,* Eph 18. Oftmals sind Berührungen mit der hymnischen Sprache Qumrans zu bemerken, vgl. *Kuhn,* Epheserbrief.

[5] Eph 83.

[6] Eph 84.

[7] *Mitton,* Ephesians, verweist auf das Verhältnis von Kol 1,26 zu Eph 3,5 (85f), und auf die Begriffe ›oikonomia‹ (91-94) und ›pleroma‹ (94 bis 97).

sam machen, daß sich der Epheserbrief auch in seiner christologischen und ekklesiologischen »Lehre« deutlich von den Homologumena unterscheidet.[8]

Die genannten Beobachtungen ließen sich auch an Hand des hier besonders untersuchten Abschnittes Eph 2,11-18 verifizieren. Allein diese acht Verse enthalten zehn Wörter, die in den Homologumena nicht vorkommen.[9] Das ist bei einem Gesamtbestand von 50 Wörtern[10] eine recht ansehnliche Zahl. Daß der Stil ein stark liturgisch-hymnisches Kolorit trägt, beweisen beispielsweise schon die verschiedenen Versuche, einen hinter V. 14-18 stehenden Hymnus zu rekonstruieren.[11] Endlich erscheint auch eine Reihe von Begriffen und Vorstellungen unseres Abschnittes in einem anderen Licht als bei Paulus. So ist zum Beispiel das »Gesetz« aus der Problematik »Gesetz als Heilsweg?« entlassen und zur Scheidewand zwischen Juden und Heiden geworden. Daß Christus der »Friede« ist, wird bei Paulus nicht so gesagt. Ebenso ist das Verhältnis von Juden und Heiden erst im Epheserbrief als »Feindschaft« beschrieben und auch die konkrete Vorstellung von dem »einen neuen Menschen« ist neu gegenüber Paulus.

All diese Beobachtungen sind — zusammengenommen — schon ein wichtiges Indiz, daß der Epheserbrief nicht von Paulus stammt. Sie bekommen aber ihre letzte Stichhaltigkeit erst dann, wenn sich zeigen läßt, daß die theologische Konzeption des Epheserbriefes eine andere ist als die des Paulus. Das konnte die vorausgehende Untersuchung zu Eph 2,11-18, wo der Verfasser seine zentrale Idee

---

[8] *Kümmel,* Einleitung 260f; *Mitton,* Ephesians 16-24. Besonders wichtig ist der Hinweis auf die »Umsetzung der paulinischen Futura von Röm. VI in Präterita durch die Verfasser des Kol. und Eph.« (*Conzelmann,* Paulus und die Weisheit 234). Zur präsentischen Eschatologie vgl. *Bornkamm,* Hoffnung, dessen Ergebnisse zu Kol in gleicher Weise auch für Eph gelten.

[9] Es handelt sich um: mit Händen gemacht (V. 11); ausschließen, Gemeinde, ohne Gott (V. 12); fern (V. 13.17); Scheidewand, Zaun (V. 14); beide (V. 14.16.18); Satzung (V. 15); versöhnen (V.16).

[10] Nicht mitgezählt sind dabei Partikel, Artikel, Pronomina, Hilfsverba und der Christustitel.

[11] Siehe oben Kap. I 2. Richtig ist, daß zumal V. 14-18 »zum Teil in gehobener Prosa« abgefaßt sind *(Deichgräber,* Gotteshymnus 167).

— die Kirche aus Juden und Heiden — theologisch entfaltet, und der anschließende Vergleich mit den Homologumena nachweisen. Die Konzeption des Epheserbriefes ist radikal ekklesiologisch geprägt. Und zwar nicht nur so, daß er im Unterschied zu den Homologumena die Kirche aus Juden und Heiden in das Zentrum seiner Betrachtung stellt.

Das wäre auch einem abgeklärten Paulus »am Rande seiner Tage«[12] zuzutrauen, dessen Blick »den Grund des Mysteriums der Offenbarung erspäht hatte« und der nun diesen, »in dem alles eingeschlossen ist, nun zu Wort kommen (lassen) will... Jetzt, nachdem er das Grundmysterium auf dem Grunde des Mysteriums entdeckt hatte, sprach er nur noch von diesem Grund...«[13].

Die theologische Konzeption des Epheserbriefes ist vielmehr in dem Sinne radikal ekklesiologisch geprägt, daß der Verfasser die Kirche zum zentralen Begriff seiner theologischen Logik macht und das Christusereignis von daher interpretiert, wie es einst Paulus vom Gedanken der Rechtfertigung her getan hatte. Dabei gerät die Rechtfertigungslehre aus dem Blickfeld, bzw. sie wird dort, wo sie der Sache nach (Soteriologie) noch erscheint, als logische Folge der Ekklesiologie entwickelt. Bei Paulus war das genau umgekehrt. Die theologische Konzeption des Epheserbriefes und die der Homologumena unterscheiden sich also dadurch, daß beider theologisches Denken einen verschiedenen Ansatz und damit eine unterschiedliche Struktur aufweisen. Der gealterte Paulus müßte sich schon selbst »auf den Kopf gestellt« haben, sollte er den Epheserbrief selbst geschrieben haben. Der Epheserbrief ist als das Werk eines Theologen zu bezeichnen, der zwar paulinische Tradition aufnimmt, sie aber von seinem Blickpunkt — der Ekklesia — neu interpretiert und dabei — in radikaler Durchführung seines Anliegens — zu einer neuen, gegenüber den Homologumena eigenständigen Konzeption gelangt. Der Verfasser ist daher nicht einfach Tradent, sondern Interpret, und zwar ein genialer Interpret, den die Tradition nicht hindert, sondern fördert, eine selbständige Theologie zu entwickeln.

---

[12] *Schlier*, Eph 28.
[13] AaO. 21.

3.2. Die Eigenständigkeit der theologischen Konzeption des Epheserbriefes gegenüber dem Kolosserbrief

Daß die Konzeption des Epheserbriefes durchaus eigenständig ist, zeigt auch ein Vergleich mit dem literarisch verwandten Kolosserbrief, der bisher aus unseren Betrachtungen ausgeklammert wurde.[14] Dabei sollen besonders die Punkte ins Auge gefaßt werden, die im Vorausgehenden eine Differenz zu den Homologumena erkennen ließen.

3.2.1. Die Fragestellung von Eph 2,14-18

Die für den Eph-Passus maßgebliche Fragestellung, wie Juden *und* Heiden eschatologisches Gottesvolk sein können, besteht für den Kolosserbrief überhaupt nicht. Die Zugehörigkeit der Heiden zur christlichen Gemeinde wird einfach vorausgesetzt: Der Brief wendet sich an Heidenchristen.[15] Wenn freilich in Kol 1,26f die Verkündigung an die Heiden als Mysterium gepriesen wird,[16] ist das etwa im Vergleich zum »Mysterium« von Röm 11,25ff eine andere Sehweise, die für eine Interpretation im Sinne des Eph-Mysteriums

---

[14] Die Echtheit des Kol ist umstritten, vgl. den Forschungsüberblick bei *Kümmel,* Einleitung 245-249. Dessen Meinung (»zweifellos ... paulinisch«, aaO. 249) dürfte jedoch nach neueren Untersuchungen kaum mehr aufrechtzuerhalten sein (vgl. bes. *Lohse,* Kol 249-257). Wahrscheinlicher ist es, daß Kol – wie dann auch Eph – einer Paulus-Schule entstammt (Ephesus?), vgl. *Conzelmann,* Paulus und die Weisheit; *Lohse,* Kol 253f. Für den Fortgang unserer Untersuchung ist allerdings die Annahme der Unechtheit nicht unbedingt erforderlich. Vom bisherigen Ergebnis (Unechtheit des Eph) wird sie jedoch auch nicht positiv ausgeschlossen. Entscheidender für unsere Zwecke ist die literarische Verwandtschaft von Kol und Eph. Diese ist dahingehend zu bestimmen, daß Eph den Kol gekannt und als Vorlage benutzt und interpretiert hat (vgl. *Gnilka,* Eph 7-13), wobei die auffälligen Berührungen weniger durch ein direktes Abschreiben als durch eine innige Vertrautheit des Eph-Autors mit Kol zu erklären sind (vgl. *Mitton,* Ephesians 45 bis 54; *Goodspeed,* Meaning 5; *ders.,* Key XIII). Vgl. zum ganzen auch meine Dissertation »Das kirchliche Amt nach dem Epheserbrief«, München 1973, bes. 28-44.

[15] *Lohse,* Kol 27f.

[16] *Schweizer,* Antilegomena 247; *Lohse,* Kol 121f.

der Kirche aus Juden und Heiden durchaus offen ist. Insofern ist die neue Fragestellung des Epheserbriefes noch kein Beweis für eine eigenständige Konzeption.

3.2.2. *Das Verständnis von Israel*

Der Begriff »Israel« fehlt im Kolosserbrief. Auch die damit gemeinte Sache ist weder im Sinne des Paulus noch des Epheserbriefes aufgenommen. »Jude« in Kol 3,11 ist kein ekklesiologischer Begriff. Er bringt vielmehr zusammen mit den anderen völkischen und gesellschaftlichen Begriffen des Kontextes in antithetischer Weise die Neuheit christlicher Existenz zum Ausdruck, wo alle vorher geltenden Kategorien dahinfallen. Die Stelle ist deutliche Reminiszenz von Gal 3,27f und bleibt in ihrem Verständnis noch im Rahmen der paulinischen Rechtfertigungslehre.

3.2.3. *Das Verständnis des Gesetzes*

Zwar fehlt im Kolosserbrief der Begriff »Gesetz«, doch ist die paulinische Problematik »Gesetze als Heilsweg?« noch deutlich vorhanden (vgl. 2,14f.16-23). Die »Satzungen« (2,14) werden als soteriologisch relevant betrachtet: Die in ihnen begründete oder aus ihnen resultierende »Urkunde« gibt »über die Schuldverfallenheit des Menschen vor Gott Auskunft«.[17] Die »Satzungen« werden nicht vernichtet, sondern »ausgetilgt« wird die »Urkunde«, der »Schuldschein«, der »kraft der Satzungen ... gegen uns«[18] ist. Das entspricht der Erlassung menschlicher »Übertretungen« (2,13).
Gänzlich fehlt im Kolosserbrief die für den Epheserbrief typische Betrachtungsweise des Gesetzes von der Kirche her, wonach es zur Scheidewand zweier Bereiche wird und einen davon gänzlich von »Israel« trennt, so daß es zur Realisation des eschatologischen Israel »Kirche« vernichtet werden muß.

3.2.4. *Die Reihenfolge Ekklesiologie — Soteriologie*

Daß die radikal ekklesiologisch konzeptionierte Theologie des Epheserbriefes sich noch nicht im Kolosserbrief findet, zeigt sich

---

[17] *Lohse*, Kol 163.
[18] AaO. 164.

am deutlichsten daran, daß er jenes eigenartige Phänomen des Epheserbriefes, wonach die Soteriologie aus der Ekklesiologie entfaltet wird, nicht kennt. Im Kolosserbrief fehlt die Aussage, daß Christus der Erlöser der Kirche ist (vgl. Eph 5,23), bzw. daß er die Kirche mit Gott versöhnt (vgl. Eph 2,16). Wo der Kolosserbrief vom »Versöhnen« spricht, wofür er übrigens dasselbe Wort wie der Epheserbrief verwendet,[19] figuriert als Objekt nicht die Kirche als solche (Eph) sondern entweder — in traditioneller Aussage — das All (1,20)[20] oder die angeredete Leserschaft (1,22). Besonders die letzte Stelle ist für das dem Kol-Verfasser eigene soteriologische Denken aufschlußreich. Versöhnt werden:[21] »ihr, die ihr einst ausgeschlossen und feind wart durch die Gesinnung in den bösen Werken« (1,21), das heißt die Leser in ihrem einstigen Zustand der Sündenverfallenheit, der sie zu Fremden und Feinden Gottes machte. Als solche werden sie versöhnt, so daß sie jetzt »heilig und untadelig und unbescholten« (1,22) — als heilige Gemeinde — vor Gott stehen können. Der ekklesiologische Status der Leser ist hier deutlich Folge des soteriologischen Handelns Gottes an ihnen.[22] Der Unterschied zum Epheserbrief tritt klar mit dem Terminus ἀπηλλοτριωμένοι (= »ausgeschlossen, entfernt«) ans Licht. In Kol 1,21 handelt es sich eindeutig um einen soteriologischen Begriff (»Entfernt-Sein von Gott«[23]), in Eph 2,12 um einen ekklesiologischen Begriff (Entfernt-Sein von Israel). Kol 1,21f bleibt mit seiner Versöhnungsaussage noch im Rah-

---

19 Das Kompositum ἀπο — καταλλάσσειν gegenüber dem Simplex der Homologumena.

20 Es handelt sich hier um einen vor-kolossischen Hymnus, s. dazu unten 4.2.

21 Dabei ist es für unsere Betrachtungsweise gleichgültig, ob man in Kol 1,22 »er hat versöhnt« (dann wohl Christus, so *Nestle*) oder »ihr wurdet versöhnt« (dann wohl durch Gott, so *The Greek New Testament*) liest.

22 Unter diesem Gesichtspunkt ist das Urteil *Schweizers*, Antilegomena 299, zu Kol 1,21f (»Gleich im nächsten Vers setzt er damit ein, daß er die Versöhnung auf die Gemeinde statt auf den Kosmos bezieht«) nicht differenziert genug. Nicht die Gemeinde (im Sinne von Ekklesia) wird versöhnt, sondern dem Un-Heil verfallene Menschen.

23 *Lohse*, Kol 105.

men der paulinischen Auffassung, wie sie etwa in Röm 5,9-11 zum Ausdruck kommt, und damit der Sache nach im Rahmen der paulinischen Rechtfertigungslehre,[24] was durch die Parallelität von »rechtfertigen« und »versöhnen« eben an der genannten Röm-Stelle bestätigt wird.[25]

Zusammenfassend läßt sich sagen: Der radikal durchgeführte ekklesiologische Ansatz der Theologie des Epheserbriefes ist auch gegenüber dem Kolosserbrief als eigenständig zu bezeichnen. Das heißt jedoch nicht, daß der Epheserbrief in der urchristlichen Tradition isoliert dastünde. Sowohl für seine radikal ekklesiologische Konzeption als auch für die damit zusammenhängende Vorordnung der Ekklesiologie vor die Soteriologie gibt es traditionsgeschichtliche Bezugspunkte.

4. DER TRADITIONSGESCHICHTLICHE ORT DER THEOLOGISCHEN KONZEPTION DES EPHESERBRIEFES

4.1. Der Epheserbrief als Zeuge paulinischer Tradition

Eigenständigkeit heißt nicht Zusammenhanglosigkeit. Das gilt auch für das Verhältnis des Epheserbriefes zu den Homologumena. Die Eigenständigkeit der theologischen Konzeption des Epheserbriefes hindert nicht die Feststellung, daß sein Autor in paulinischer Tradition steht und bewußt darin stehen will. Allein die Tatsache, daß er sein Schreiben als Brief des »Paulus, Apostel Christi Jesu« (1,1) verfaßt und damit ganz hinter Person und Autorität des Apostels zurücktritt, ist dafür beredtes Zeugnis. Aber auch die Berührungen in Terminologie und Gedankengut sind so stark,[1] daß die paulinische Tradition sofort ins Auge springt. Am ehesten wird man diesem Tatbestand gerecht, wenn man den Verfasser des Epheserbriefes

---

[24] Der Begriff »Gerechtigkeit« fehlt allerdings in Kol.

[25] Im Unterschied zu den Homologumena tritt in Kol freilich an die Stelle einer futurischen eine präsentische Eschatologie, vgl. dazu *Bornkamm*, Hoffnung; *Steinmetz*, Heils-Zuversicht 46.

[1] Vgl. dazu die Tabellen bei *Goodspeed*, Key, und *Mitton*, Ephesians 280 bis 338; s. auch *Percy*, Probleme 419f.

(wie auch den des Kolosserbriefes) einer theologischen Schule zurechnet (in Ephesus?), die bewußt paulinische Theologie gepflegt hat.[2]

4.2. Die »paulinische« Interpretation kosmischer Christologie (Kol)[3]

Eine der wichtigsten Aufgaben der genannten »Paulus-Schule« bestand darin, theologische Entwürfe, die neben und nach Paulus in der Gemeinde Aktualität bekamen, mit ihrer paulinischen Tradition auszugleichen bzw. ihrer paulinischen Tradition einzuverleiben. Indiz dafür ist etwa der sogenannte Kol-Hymnus, der hinter Kol 1,15-20 zu erkennen ist.[4] Er stellt eine christologische Verarbeitung und Interpretation hellenistisch-jüdischer Vorstellungen dar.[5] Obwohl die Rekonstruktionen dieses Hymnus im einzelnen voneinander ziemlich abweichen, besteht über den Inhalt in der heutigen Forschung ein fast durchgängiger Konsens.[6] Zwei Gedankenkreise sind auszumachen:

(1) Christus als *Schöpfungsmittler*

Er ist »Abbild Gottes«,
»Erstgeborener vor aller Schöpfung« (V. 15).
In ihm ist das All erschaffen,
durch ihn und auf ihn hin ist das All erschaffen (V. 16),
in ihm hat das All Bestand (V. 17).

---

[2] Vgl. *Gnilka*, Eph 19ff, und oben Kap. II 3. Anm. 14.

[3] Zum folgenden s. auch meinen Aufsatz »Tradition« (s. oben Kap. I 2. Anm. 5).

[4] *Käsemann*, Taufliturgie; *Schweizer*, Antilegomena; *ders.*, Kol 1,15-20; *Hegermann*, Schöpfungsmittler 89-93; *Gabathuler*, Jesus Christus 125 bis 131 (vgl. 11-124 = Forschungsbericht); *Deichgräber*, Gotteshymnus 143-155; *Schnackenburg*, Christushymnus.

[5] So *Schweizer*, *Schnackenburg*, *Hegermann*, *Gabathuler*, *Deichgräber* (s. vorige Anm.). — Zur hellenistisch-jüdischen Spekulation s. außer den genannten Aufsätzen von *Schweizer: Hegermann*, Schöpfungsmittler 93ff; *ders.*, Leib-Christi-Vorstellung 841f; *Colpe*, Leib-Christi-Vorstellung 179ff.

[6] Eine Ausnahme stellt *Kehl* dar, der »Kirche« in V. 18 zum ursprünglichen Bestand rechnen möchte (Christushymnus 41f).

(2) Christus als *Erlösungsmittler*
Er ist »Haupt des (All-)Leibes«,
»Erstgeborener von den Toten« (V. 18).
In ihm wohnt die göttliche Wesensfülle (V. 19),
durch ihn ist das All versöhnt (V. 20).

Dieser, von einer kosmischen Christologie beherrschte Hymnus wurde nun vom Verfasser des Kolosserbriefes »paulinisch« interpretiert. Zwei paulinische Vorstellungen werden dabei maßgeblich:
(1) Das paulinisch-*ekklesiologische* Verständnis des Begriffes »Leib« (= Kirche) (vgl. Röm 12,4f; 1 Kor 12,12-27; u. a.). Von hier aus wird der »Leib« von V. 18, der ursprünglich das All meinte, ekklesiologisch interpretiert: Christus ist »das Haupt des Leibes, *der Kirche*«.
(2) Die zentrale Bedeutung des *Kreuzes* für das Heilsgeschehen.[7] Von hier aus wird V. 20 dahingehend interpretiert, daß das All »durch das Blut seines *Kreuzes*« versöhnt wurde.
Die »paulinische« Interpretation — sowohl bezüglich des Kreuzes als auch hinsichtlich der Kirche — ist freilich nicht konsequent auf den ganzen Hymnus ausgedehnt. Der jetzige Text von Kol 1,15-20 zeigt keine einheitliche Konzeption. Es kommt zu gewissen Inkongruenzen:
(1) Die sich in V. 18 offenbarende Tendenz, ursprünglich kosmische Terminologie (»Leib« = All) *ekklesiologisch* zu interpretieren, hätte bei strikter Durchführung zu einer Ersetzung wenigstens der nachfolgenden kosmischen Begrifflichkeit durch ekklesiologische Terminologie führen müssen, so daß in V. 20 von der Versöhnung der Kirche und nicht mehr des »Alls« die Rede wäre. Daß im Kolosserbrief Ansätze dazu vorhanden waren, zeigt V. 21f, wo die kosmische Versöhnungsaussage von V. 20 aufgenommen und — wenn auch noch nicht auf die Kirche als solche — so doch geschichtlich auf die Leser angewendet wird.[8]
(2) Eine weitere Inkongruenz besteht darin, daß im jetzigen Text von Kol 1,15-20 die Aussage über Christus als den Schöpfungs-

---

[7] Vgl. 1 Kor 1,17f.23; 2,2; Phil 2,8. — Zur Sache: *Conzelmann*, Grundriß 227f; *Bultmann*, Theologie 292-306; *Ortkemper*, Kreuz.
[8] Vgl. oben 3.2.4.

mittler und über Christus als das Haupt der Kirche ohne logischen Zusammenhang nebeneinanderstehen. Das hätte allerdings nur dann beseitigt werden können, wenn die *ekklesiologische Interpretation* kosmischer Vorstellungen in letzter Konsequenz auch auf den ersten Gedankenkreis des Hymnus ausgedehnt worden wäre, so daß Christus nicht mehr als Erschaffer des Alls, sondern der Kirche hervortreten würde. In diesem Fall hätte dann der Zeitpunkt der (dann ekklesiologischen) Schöpfertätigkeit Christi nicht mehr der Anbeginn der Welt sein können, sondern in logischer Angleichung an die Versöhnungsaussage von V. 20 in das Kreuzesgeschehen verlegt werden müssen. Damit wäre gleichzeitig auch die zweite Tendenz der »paulinischen« Interpretation — die Betonung der Bedeutsamkeit des *Kreuzes* — zu ihrer letzten Konsequenz geführt worden.

Doch soll es hier nicht darum gehen, dem Kol-Verfasser vorzurechnen, was er bei streng durchgeführter Logik hätte tun müssen. Es sei damit nur auf die Tendenzen aufmerksam gemacht, die einer an Kirche und Kreuz orientierten »paulinischen« Interpretation kosmischer Christologie innewohnen.

4.3. Die konsequente »paulinische« Interpretation kosmischer Christologie (Eph)

Tatsächlich führt der Verfasser des Epheserbriefes konsequent zu Ende, was der Verfasser des Kolosserbriefes ansatzweise begonnen hatte. Aus dieser Konsequenz ergibt sich Ansatzpunkt und traditionsgeschichtlicher Ort für die theologische Konzeption des Epheserbriefes:

(1) Die konsequente Durchführung der sich in der »Paulus-Schule« anbahnenden ekklesiologischen Interpretation kosmischer Christologie (Kol 1,18; vgl. 1,24) hat zur Folge, daß die Theologie des Epheserbriefes einen *radikal ekklesiologischen Ansatz* bekommt. Die Kirche wird zum *Zentralbegriff* seines theologischen Denksystems.[9]

(2) Dadurch entsteht eine *theologische Konzeption*, die anders strukturiert ist als die des Paulus. Dessen primär soteriologisch orientiertes Denken gerät unter ekklesiologischen Gesichtspunkt. Der pau-

---

[9] Vgl. oben 1.3.

linische Zentralbegriff der »Gerechtigkeit« und damit die *Rechtfertigungslehre* tritt zurück, die *Soteriologie* wird zur *Funktion der Ekklesiologie.* Das wird konkret besonders dadurch begünstigt, daß eine konsequente ekklesiologische Interpretation der kosmischen All-Versöhnungs-Vorstellung (vgl. Kol 1,20) notwendig zur Vorstellung von der *Versöhnung bzw. Erlösung der Kirche* (vgl. Eph 2,16; 5,23.25) führen muß.[10]

(3) Die Ausdehnung der ekklesiologischen Interpretation auf die Schöpfungsmittleraussage der kosmischen Christologie führt zur Vorstellung von der *Erschaffung der Kirche* durch Christus (Eph 2,15). Das gibt dem Epheserbrief die Möglichkeit, nun auch das zweite Motiv »paulinischer« Interpretation, das in der »Paulus-Schule« eine Rolle spielt, — die Betonung des Kreuzes im Heilsgeschehen (Kol 1,20; vgl. 2,14) — auszuweiten: Die Erschaffung der Kirche findet am Kreuz statt, die *Kreuzestat Christi* erscheint *als ekklesiale Tat* (Eph 2,14f).

Wenn man nun noch bedenkt, daß der Epheserbrief seine ekklesiologische Interpretation unter dem besonderen *Gesichtspunkt der Kirche aus Juden und Heiden* — wie Juden *und* Heiden eschatologisches Gottesvolk sein können, war die Fragestellung für den Exkurs von 2,14-18[11] — bewerkstelligt, dann bekommt auch die konkrete Durchführung seiner theologischen Konzeption in Eph 2,11 bis 18, was der Ausgangspunkt unserer Untersuchung war, ihre letzte Durchsichtigkeit. An zwei Beispielen sei dies erläutert:[12]

---

[10] Diese Konsequenz mag den Verfasser des Kol zurückgehalten haben, Kol 1,20 direkt ekklesiologisch zu interpretieren. Seine existentielle Applikation der Versöhnungsaussage in 1,21f bleibt noch deutlich im Rahmen der soteriologisch zentrierten Denkstruktur der Homologumena. Doch gelingt ihm so keine einheitliche Konzeption. Ekklesiologische Aussage (1,18) und soteriologische Aussage (1,20: kosmisch; 1,22: existentiell) treten nicht in ein Bezugssystem zueinander.

[11] Vgl. oben Kap. I 3.2.

[12] Wenn man voraussetzt, daß Eph den Kol als Vorlage benutzt hat (s. oben Kap. II 3 Anm. 14), kann Eph 2,11-22 als Paraphrase zu Kol 1,21-23a verstanden werden, wobei der bes. Blick des Eph die Kirche aus Juden und Heiden anzielt. In den von Kol 1,21-23a bestimmten Aufriß bringt Eph weiteres Kol-Material ein, bes. aus 1,15-20; 2,6-15 und 3,6-11; vgl. dazu meinen Aufsatz »Tradition« 99ff.

4.3.1. Die Vorstellung von der Erschaffung der Kirche (Eph 2,15b)

4.3.1.1. Die Entwicklung dieser Vorstellung unter theologischen Aspekten

Der Verfasser des Kolosserbriefes hatte die christologischen Schöpfungsmittleraussagen der Hymnus-Vorlage uninterpretiert übernommen:

> In ihm wurde das All erschaffen ...
> das All ist durch ihn und auf ihn hin erschaffen worden ...
> und das All hat in ihm Bestand (Kol 1,16f).

Der Epheserbrief interpretiert diese Vorstellung ekklesiologisch. Geht man dabei vom Wortlaut des Kolosser-Hymnus aus, würde sich etwa folgende Aussage ergeben: »In ihm (bzw. durch ihn und auf ihn hin) wurde die Kirche erschaffen«. Daß die faktische Formulierung von Eph 2,15b anders ausgefallen ist, läßt sich aus der besonderen Problemstellung des Epheserbriefes und aus theologischen Erwägungen erklären:

(1) Wie bereits ausgeführt, hängt die ekklesiologische Interpretation der Schöpfungsmittleraussage mit der Verlegung des Schöpfungsaktes in das Kreuzesgeschehen zusammen. Dies aber ist aktive Tat Christi: Christus gibt sein Fleisch preis (2,14f). Die Sphäre des »Fleisches«, wo sich Trennung realisieren konnte (vgl. 2,11f), wird gegenstandslos, eine neue Sphäre wird aufgetan. Wenn Christi Kreuzestat nicht bloß Voraussetzung dafür sein, sondern in konstitutiv-initiativem Zusammenhang damit stehen soll, dann muß das durch eine aktivische Formulierung des Schöpfungsaktes beschrieben werden: Indem Christus durch Preisgabe seines Fleisches das Gesetz vernichtet hat, *hat er erschaffen* ... Christus ist nicht nur Mittler der Kirchen-Schöpfung, sondern Erschaffer der Kirche selbst.

(2) In diesem Fall ist von den im Kolosser-Hymnus angebotenen präpositionalen Wendungen (in ihm, durch ihn, auf ihn hin) »in ihm« — nun im Sinne von »in sich«[13] — die gegebene, da sie am besten zum Ausdruck bringt, daß Christus selbst die Sphäre, den Raum, ausmacht, den er am Kreuz sterbend auftut.[14] So wird die

---

[13] Im Griechischen ist dieses Verständnis möglich; vgl. Bl-Debr § 283.

[14] »Er hat ›durch sich‹ geschaffen« wäre Tautologie! Das zielangebende

in der isolierten Aussage »Christus hat die Kirche erschaffen« liegende Gefahr gebannt, daß die Kirche nun als selbständige Größe neben Christus erscheinen könnte. Das *»in sich«* verhindert, daß Christologie und Ekklesiologie auseinanderfallen. Es zeigt, daß für den Epheserbrief die Kirche nur deshalb im Zentrum seines Denkens stehen kann, weil sie Wesen »in Christus« ist.[15]

(3) Aus diesem Grund spricht der Epheserbrief wohl auch nicht direkt von der Erschaffung der »Kirche« oder des (ekklesiologischen) »Leibes«, wie man es bei einer einfachen ekklesiologischen Transponierung der kosmischen All-Schöpfungsaussage erwarten könnte. In diesem Fall würde nämlich die gerade erzielte Aussage von der inneren Einheit des Christus und seines Geschöpfes nicht konsequent durchgehalten, da »Kirche« bzw. »Leib« als Korrelatbegriffe zu Christus, dem »Haupt« (vgl. 1,22f; 4,15f; 5,23), stärker die Differenzen hervorheben. So wählt der Epheserbrief den Begriff des *»Menschen«*, der Christus selber ist und gleichzeitig seinen »Leib«, die Kirche, umfaßt.

(4) Daß der Epheserbrief schließlich nicht sagt, Christus »habe *den Menschen* erschaffen«, sondern von einer Erschaffung *»zu einem Menschen«* spricht, hängt damit zusammen, daß diese Schöpfung im Gegensatz zur kosmischen Schöpfung (creatio ex nihilo) ein Objekt hat, an dem sich die Schöpfungstat auswirkt. So kann es nur heißen: »Er hat die zwei *zu* etwas geschaffen«. Da es sich trotzdem um etwas total Neues handelt, das geschaffen wird, um eine eschatologische Neuschöpfung, muß der »Mensch« als *»neuer«* qualifiziert werden. Und da das Objekt eine numerische Viel-(Zwei-)heit — gemäß der Problemstellung des Epheserbriefes: Juden und Heiden — beinhaltet, muß die *Ein*heit des neuen Menschen betont werden.

»auf sich hin« wird durch *»zu* (im Griechischen dieselbe Präposition!) einem neuen Menschen« ohnehin aufgenommen.

[15] Das übersieht *Käsemann* gründlich, wenn er sagt: »Wo die Ekklesiologie in den Vordergrund rückt ... wird die Christologie ihre ausschlaggebende Bedeutung verlieren ... statt ihr unaufgebliches Maß zu bleiben. Genau das ist bereits im Epheserbrief erfolgt« (Problem 209). Nicht die Christologie ist in den Hintergrund getreten, sondern die Soteriologie! Die Ekklesiologie des Eph ist durch und durch christologisch!

So kommt es zur konkreten Formulierung von Eph 2,15b. Im Grunde ist sie nichts anderes als die konsequente Durchführung einer am Kreuz orientierten ekklesiologischen Interpretation einer kosmischen Schöpfungsmittlervorstellung, wie sie etwa im Kolosser-Hymnus bezeugt ist, die konsequente Durchführung des Anliegens der »Paulus-Schule«, das sich ansatzweise bereits in der Redaktion des Kolosser-Hymnus bekundete.

4.3.1.2. Die Entwicklung dieser Vorstellung unter religions- und traditionsgeschichtlichen Aspekten

Religionsgeschichtlich macht besonders die Ableitung des *»Menschen«* (ἄνθρωπος = Anthropos) Schwierigkeiten. Folgende Möglichkeiten könnte man in Betracht ziehen:

(1) *Direkte Ableitung von den Homologumena:* In Frage käme die Vorstellung vom »Menschen« in Röm 5,12-21 und in 1 Kor 15,22. 45-49 oder die Vorstellung von dem »Einen« in Gal 3,27f.

Hinter Röm 5,12-21 und 1 Kor 15,22.45-49 steht die Idee des *Stammvaters* (corporate personality[16]), der das Schicksal seines Stammes bestimmt.[17]

Gal 3,27f spricht von der Taufe, in der Christus angezogen wird. Dadurch werden »die aus dem alten Äon stammenden metaphysischen, geschichtlichen und natürlichen Unterschiede ... real aufgehoben«[18]. In Christus »sind alle einer«: Es gibt nur noch eine Seinsqualität.

(2) *Ableitung von der jüdischen Vorstellung vom »neuen Geschöpf«:* Das Material, das vor allem *E. Sjöberg* zusammengetragen hat[19] und von *F. Mußner* zur Deutung von Eph 2,15b herangezogen wird,[20] spricht in einer doppelten Weise von einem »neuen Geschöpf«: bei der Bekehrung zum Judentum und bei der Neuschöpfung Israels.

---

16 Zur Vorstellung vgl. *Robinson,* Corporate Personality 42-62; *Fraine,* Adam; *Best,* Body 20-30; *Hanson,* Unity 79-82.

17 Vgl. dazu *Schweizer,* Homologumena 284f (dort auch reiches Belegmaterial). — Interessant ist die plastische Vorstellung von Hebr 7,10 und Ex R 31,1f (vgl. *Schnackenburg,* Heilsgeschehen 108).

18 *Schlier,* Gal 174.

19 Wiedergeburt; vgl. auch Billerbeck II 421ff; III 519.

20 Christus 94-97.

(3) *Ableitung von der gnostischen Vorstellung vom »Menschen« bzw. vom »vollkommenen Mann«: H. Schlier,* der sich hauptsächlich um dieses Material bemühte,[21] meinte folgende Vorstellung rekonstruieren zu können: Der »Mensch« wird »auf der einen Seite konstituiert durch die auffahrenden Seelen« ... »Auf der anderen Seite ist der ›vollkommene Mann‹ aber doch auch wieder unabhängig von den Seelen schon immer ›in den Himmeln‹, und drittens ist er es selbst, der die ›Erbauung‹ seines Leibes besorgt«[22].

(4) *Ableitung von der hellenistisch-jüdischen Vorstellung vom »Menschen«:* Sie ist uns vor allem über Philo bekannt. Bei ihm findet sich nicht nur die Bezeichnung »ein Mensch« für den Logos,[23] dieser wird auch »Haupt« des Alls genannt.[24] Das All selbst ist der »große, bzw. vollendetste Mensch« oder der »größte Leib«.[25] Die ganze Spekulation ist mehrdeutig: »Das Weltall als Anthropos oder Soma (= Mensch, bzw. Leib, Anm. d. Verf.) kann soweit spiritualisiert gedacht werden, daß es mit dem sie durchwaltenden Anthropos oder Logos zusammenfällt. Dieser ist seinerseits nicht nur so etwas wie eine immanente Weltseele, sondern auch oberer oder himmlischer Anthropos oder Verwalter, Ordner und Haupt der Welt«[26].

Daß letzteres als religionsgeschichtlicher Hintergrund für den »Menschen« von Eph 2,15b vorauszusetzen ist, dürfte schon deswegen wahrscheinlich sein, weil sowohl der Leib-Begriff (= All) als auch die gesamte kosmische Christologie des Kolosser-Hymnus eine christologische Verarbeitung dieses hellenistisch-jüdischen Spekulationstyps ist.[27] Der Begriff des »Menschen« in Eph 2,15 wäre dann ein weiteres Beispiel christologischer Interpretation hellenistisch-jüdischer Vorstellungen, entsprechend der christologischen Deutung der hellenistisch-jüdischen Schöpfungsmittlerspekulation,

---

[21] Christus 27-37.

[22] AaO. 29f.

[23] Belege bei *Schweizer,* Homologumena 275.

[24] Belege bei *Colpe,* Leib-Christi-Vorstellung 180f.

[25] Belege bei *Colpe,* aaO. 179; *Schweizer,* ThW VII 1051.

[26] *Colpe,* aaO. 182; weitere Belege zur ganzen Vorstellung bei *Hegermann,* Schöpfungsmittler passim.

[27] Siehe oben 4.2.

die ursprünglich vom Logos sprach, auf Christus. Freilich ist der »Mensch« von Eph 2,15 kein rein christologischer Begriff, sondern ekklesiologisch modifiziert. Das entspricht wiederum genau dem Vorgehen des Eph-Autors, der kosmische Christologie konsequent ekklesiologisch interpretiert: Der Christus-Mensch schließt die Kirche (aus Juden und Heiden) in sich. Diese Interpretation wird aber durch die hellenistisch-jüdische Spekulation begünstigt und ermöglicht, weil dort der Logos als der (kosmische) »Mensch« sowohl den »Leib« (des Alls) durchwaltet als auch mit dem »Leib« in eins gesehen werden kann.

Gegenüber einer direkten Ableitung von den Homologumena bietet die Ableitung aus hellenistisch-jüdischer Spekulation folgenden Vorteil:
Hinter dem »einen Menschen« von Eph 2,15 stehen unzweifelhaft »räumliche« Vorstellungen: Er »umfaßt« in sich die beiden Bereiche (Juden — Heiden).[28] Diese Dimension ist neu gegenüber den Aussagen des Paulus in Röm 5,12-21; 1 Kor 15, 22.45-49; Gal 3,27f.[29]
Im Falle einer direkten Ableitung von Paulus müßte man nun annehmen, daß der Verfasser des Epheserbriefes (oder die »Paulus-Schule« überhaupt) paulinische Begrifflichkeit durch kosmische Vorstellungen (hellenistisch-jüdischen Ursprungs) interpretiert hätte. Das widerspricht aber der sonst zu beobachtenden Tendenz dieser Traditionsgruppe, die *»paulinisch«* interpretieren will (vgl. die paulinisch-ekklesiologische Interpretation des kosmischen »Leibes« in Kol 1,18).
Deshalb ist eher das Umgekehrte der Fall, daß paulinische Begrifflichkeit Anlaß und Katalysator dafür wurde, hellenistisch-jüdische Vorstellungen oder bereits (von der Gemeindetheologie) christologisch verarbeitetes hellenistisch-jüdisches Gedankengut (vgl. Kol-Hymnus) zu interpretieren.

---

[28] Vgl. die damit zusammenhängende Vorstellung vom ›Pleroma‹ (bes. 4,13), das eine räumliche Kategorie ist (*Hegermann,* Schöpfungsmittler; *Colpe,* Leib-Christi-Vorstellung).

[29] Die paulinische »Mensch«-Spekulation scheint außerdem typisch antithetisch zu sein: In Röm 5 stehen sich der eine Mensch Adam und der eine Mensch Christus gegenüber (vgl. *Brandenburger,* Adam 68), in 1 Kor 15 der erste und der zweite Mensch. Das ist in Eph nicht so (vgl. *Schlier,* Christus 27). Auch dürfte die Vorstellung, daß der Mensch erst durch Einverleibung seines Leibes (Eph 2,15) konstituiert wird, weit über die jüdische Stammvaterspekulation hinausgehen. Eine direkte Ableitung von Paulus wäre höchstens dann möglich, wenn bereits die paulinische Leib-Christi-Lehre hellenistisch-jüdische Vorstellungen (Philo) aufgenommen hätte (so etwa *Schweizer,* ThW VII; *ders.,* Homologumena), doch ist das m. E. unwahrscheinlich.

Dieser Vorgang ist nun für den Epheserbrief positiv zu beschreiben, wobei zu betonen ist, daß die konsequent durchgeführte ekklesiologische Interpretation kosmischer Christologie, wie sie nach den bisherigen Beobachtungen hinter Eph 2,15b zu erkennen ist, ohne gleichzeitige Einbeziehung paulinischen Gedankengutes überhaupt nicht zu denken ist. So ist die ekklesiologische Interpretation des Epheserbriefes in seinem Sinne eine »paulinische« Interpretation. Das gleiche gilt für die Übernahme der »Mensch«-Vorstellung.
Denn höchstwahrscheinlich ist die paulinische Redeweise vom »Menschen« Christus (vgl. bes. Röm 5,12-21) Anlaß für die christologische Deutung der hellenistisch-jüdischen »Mensch«-Vorstellung.[30] Daß dabei der »Mensch« von Eph 2,15b gleichzeitig ekklesiologische Bedeutung bekommt (er schließt Juden und Heiden in sich), hängt damit zusammen, daß der hellenistisch-jüdische »Mensch« seinen »Leib« in sich schließt und mit ihm eins ist (s. oben).
Daß dieser »Mensch« als *»neuer Mensch«* bezeichnet wird, ist nicht nur aus dem formalen Gegenüber zur paulinischen Redeweise vom »alten Menschen« (Röm 6,6)[31] zu erklären, sondern hat seinen sachlichen Grund darin, daß die ekklesiologische Interpretation der christologischen Schöpfungsmittleraussage, wie sie oben für den Epheserbrief beschrieben wurde, nur möglich ist über den paulinischen Gedanken, daß in Christus und im Zusammenhang mit seinem Kreuz eine *»neue Schöpfung«* (2 Kor 5,17; Gal 6,15) entstanden ist.[32] Nur über diesen Vorstellungszusammenhang kann der Epheserbrief die Aussage, daß durch Christus das All erschaffen wurde (vgl. Kol 1,16f), in die Aussage transponieren, daß Christus am Kreuz die Kirche erschaffen hat. Das Geschöpf, der »Mensch«, der dabei erschaffen wird, ist dementsprechend als *»neuer* Mensch« zu charakterisieren.

---

30 Ähnlich wie im Falle des Kol die ekklesiologische Interpretation des kosmischen »Leibes« (1,18) vom ekklesiologischen »Leib«-Verständnis des Paulus beeinflußt ist.

31 Diese traditionell paulinische Redeweise nehmen Kol 3,9 und Eph 4,22 auf, beidemale mit deutlichem Ansatz zur Umkehrung.

32 2 Kor 5,16 ist »Christus dem Fleisch nach« (vgl. Eph 2,14!) Gegensatz zur »neuen Schöpfung«. Gal 6,14 nennt ausdrücklich das »Kreuz«.

In diesem Zusammenhang könnte auch die von *F. Mußner* angeführte jüdische Vorstellung vom »neuen Geschöpf« eine Rolle gespielt haben. Doch ist sie kaum in der Lage, den Terminus »Mensch« zu erklären.

Daß der »neue Mensch« *»einer«* ist, hängt im Grunde mit der besonderen Fragestellung des Epheserbriefes zusammen, der in der zweigeteilten Menschheit (Juden — Heiden) das Gegenbild der Kirche sieht. So muß er dann betonen, daß der »Leib« der Kirche »einer« ist (2,16), bzw. daß die zwei zu »einem« Menschen erschaffen werden.

Hier böte natürlich die von *H. Schlier* vorgelegte gnostische Vorstellung einen ausgezeichneten Hintergrund. Doch ist diese Ableitung äußerst schwierig und von verschiedenen Exegeten abgelehnt worden.[33] Entscheidend spricht aber gegen sie, daß die dabei vorausgesetzte Gestalt des »Erlösten Erlösers« nach den Ergebnissen neuerer religionsgeschichtlicher Arbeiten für die neutestamentliche Zeit nicht nachweisbar ist.[34]

Tatsächlich kann man darauf verweisen, daß schon in Kol 1,15-20 das All als aus zwei Bereichen bestehend (»was in den Himmeln und was auf der Erde ist« 1,16; vgl. 1,20) dargestellt wird. Das interpretiert der Epheserbrief ekklesiologisch auf Juden und Heiden und gewinnt so die negative Folie für den *»einen* neuen Menschen«. Bei der positiven Formulierung dürfte wieder ein paulinischer Gedanke, nämlich die Vorstellung von dem »Einen« in Gal 3,27f, Hilfestellung geleistet haben.

Eine direkte Ableitung des *»einen* ... Menschen« von Gal 3,27f kommt kaum in Frage. Denn dort ist die Aussage »ihr seid alle einer in Christus Jesus« — der Kontext, der »Juden und Heiden, Knecht und Freien, Mann und Frau« dagegenstellt, bestätigt das — nicht primär numerisches, sondern qualitatives Pendant zu diesen Begriffen.[35] Der »eine ... Mensch« von Eph 2,15b hingegen ist durch Gegenüberstellung zu den »zwei« bzw. zu den »beiden Bereichen« (2,14f) in erster Linie als numerische Größe

---

33 *Percy,* Leib 25ff; *Hanson,* Unity 113ff; *Mußner,* Christus 85ff.

34 *Colpe,* Schule, bes. 140-170; *Schenke,* Mensch, bes. 155f; *ders.,* Gnosis, bes. 382; *Hegermann,* Schöpfungsmittler, bes. 153ff; vgl. auch *Schweizer,* Homologumena 273; *ders.,* ThW VII 1083-1091.

35 Qualitativen Sinn fordert *Mußner,* Christus 87, auch für Eph 2,15b (s. oben Kap. I 3.2.2.1).

gekennzeichnet.[36] Er meint auch nicht den einzelnen Gläubigen (vgl. Gal 3,27f; Kol 3,9-11),[37] von dem eine generelle, alle Christen treffende Aussage gemacht würde, sondern die Kirche selbst.[38] Eph 2,15b ist nicht auf Einzelgläubige übertragbar.

4.3.2. Die Vorstellung von der Versöhnung der Kirche (Eph 2,16)

Die traditionsgeschichtliche Einordnung von Eph 2,16 kann im Gegensatz zu Eph 2,15b, welcher Versteil wegen der damit verbundenen religionsgeschichtlichen Schwierigkeiten eine ziemlich ausführliche Darstellung erforderte, relativ kurz abgehandelt werden. Im Grunde genügt hier die Feststellung, daß Eph 2,16 die kosmische All-Versöhnungsaussage, wie sie etwa Kol 1,20 vorliegt, konsequent ekklesiologisch interpretiert.

(1) Der Kolosserbrief hatte diese Aussage — zunächst uninterpretiert (vgl. aber Kol 1,21f!) — aus dem Hymnus übernommen:

(Gott beschloß) . . .
durch ihn zu versöhnen das All auf ihn hin[39] . . .

Der Epheserbrief ersetzt das kosmische Objekt der Versöhnung (»All«) durch einen *ekklesiologischen Terminus* (»die beiden in einem Leibe«), was bei streng angewandter Logik schon im Gefolge der ekklesiologischen Interpretation des kosmischen »Leibes« in Kol 1,18 für Kol 1,20 möglich gewesen wäre.[40] Damit legt der Epheserbrief gleichzeitig den Interpretationsansatz des Kol-Verfassers, der die kosmische Aussage von 1,20 geschichtlich auf die Leser applizierte (1,21f), radikal ekklesiologisch aus.

Die Transponierung von der medialen Formulierung der Versöhnung im Kolosserbrief (Gott versöhnt durch Christus) in die *aktivische* im Epheserbrief (Christus versöhnt mit Gott) entspricht dem

---

36 Der »*eine* . . . Mensch« ist natürlich auch eine neue Seinsqualität, doch steht das beim Wort »einer« nicht im Vordergrund, so daß Eph das Attribut »neu« eigens hinzufügen muß.

37 So *Mußner,* Christus 87; zur Kritik: *Schweizer,* Antilegomena 304.

38 Vgl. *Jeremias,* ThW I 366,45.

39 »Auf ihn hin« ist auf Christus zu beziehen (vgl. Kol 1,16). Es bringt »die Überwindung der kosmischen Feindschaft durch die Herrschaft des Christus« (*Dibelius,* Kol 19; vgl. *Lohse,* Kol 101 Anm. 5) zum Ausdruck.

40 Siehe oben 4.2.

Vorgang von Eph 2,15b gegenüber Kol 1,16f:[41] Aus dem Versöhnungsmittler wird der (aktive) Versöhner.

Daß die Versöhnung am *Kreuz* stattfindet, ist eine Eigenart des paulinischen Denkens der »Paulus-Schule«. Der Verfasser des Epheserbriefes kann diesen Gedanken aus der Interpretationsschicht des Kolosserbriefes übernehmen (Kol 1,20: »durch das Blut seines Kreuzes«), wobei er den Ausdruck vereinfacht: »durch das Kreuz«[42].

(2) Daß Eph 2,16 nicht, wie man zunächst vermuten könnte, direkt von der Versöhnung der »Kirche« bzw. des »Leibes« spricht — daß eine solche Formulierung im Rahmen des theologisch Möglichen wäre, bestätigt Eph 5,23 —, hat seinen Grund in der besonderen Fragestellung des Verfassers, bzw. ergibt sich aus dem Zusammenhang mit V. 15b.

Der Epheserbrief ist speziell an der Kirche aus Juden und Heiden interessiert: »Wie können Juden *und* Heiden eschatologisches Gottesvolk sein, bzw. wie können Juden *und* Heiden versöhnt werden?«. So spricht er von der Versöhnung der *»beiden«*. Die kosmischen Bereiche von Kol 1,20 sind ekklesiologisch interpretiert. Die Versöhnung der »beiden«, die in so unterschiedlicher Ausgangsposition waren (vgl. 2,11f), ist aber nur möglich, weil sie gar nicht mehr getrennt sind. Sie sind in Christus und mit Christus der »eine neue Mensch« (2,15b). Den »beiden« entsprechen nicht mehr zwei unterschiedliche Bereiche (vgl. 2,14), »beide« sind *»ein Leib«* (die Kirche). Man kann von »beiden« nur noch als von *»beiden in einem Leib«* reden. Als solche werden sie versöhnt. So kommt es zur Formulierung, wie sie sich jetzt in Eph 2,16 vorfindet.

Damit dürfte der traditionsgeschichtliche Ort des Epheserbriefes deutlich sein. Das Bild hat sich abgerundet. Die Konzeption des Epheserbriefes unterscheidet sich zwar in wesentlichen Punkten von der des Paulus. Dennoch ist sie nicht aus der Luft gegriffen, sondern hat ihren festen geschichtlichen Platz in der Entwicklung der urchristlichen Verkündigung.

---

[41] Siehe oben 4.3.1.1(1).

[42] Den Begriff »Blut« hat Eph bereits in 2,13 aufgenommen.

Ergebnis

(1) Ausgegangen war unsere Untersuchung vom Begriff des »Mysteriums«, wie es Eph 3,6 beschrieben ist. Die zunächst geäußerte Vermutung, es könnte sich um eine bloße Beschreibung der Verkündigung (Evangelium) nach ihrer heilsgeschichtlichen Bedeutsamkeit handeln, muß jetzt als nicht zureichend bezeichnet werden. Das »Mysterium«, das der Epheserbrief darbietet, ist keine pragmatische Beschreibung von Faktizitäten. Eph 2,11-18 hat gezeigt, daß dahinter eine theologische Konzeption steht. Die Kirche aus Juden und Heiden (vgl. 3,6) ist in ihrem Wesen nicht das Ergebnis geschichtlicher Vorgänge, sondern umgekehrt ist der geschichtliche Vorgang der Verkündigung nichts anderes als die Realisierung dessen, was grundsätzlich im Kreuz sich eröffnet hat. Dort hat die Kirche aus Juden und Heiden ihren Ursprung, dort ist bereits ihr ganzes Wesen beschlossen.

(2) Die Einzelexegese von Eph 2,11-18 zeigte den *ekklesiologischen Blickwinkel* des Verfassers. Nur von diesem Standpunkt aus läßt sich der Inhalt der für diesen Abschnitt konstitutiven Begriffe voll erfassen. Das gilt insbesondere für »Israel«, »Hoffnung«, »Fern-Sein« und »Nahe-gekommen-Sein«, für den »einen neuen Menschen« und den »Leib«, wie überhaupt für den Begriff des »Friedens«, der das Thema des Exkurses in 2,14-18 angibt. Auch die Fragestellung, die zu diesem Exkurs führte, ist ekklesiologisch bestimmt. Von der Kirche aus wird das von den Kategorien »Beschneidung« und »Unbeschnittenheit« implizierte Unheil sichtbar. Von der Kirche aus erkennt man umgekehrt, was Christi Tat bedeutet: Er hat das Trennende beseitigt, das Gesetz vernichtet. In Christus sind die streng Geschiedenen »ein neuer Mensch«, als sein »Leib« sind sie mit Gott versöhnt. Beide haben Zugang zum Vater. Christi ekklesiale Tat hat an die Stelle der Feindschaft den Frieden gesetzt.

(3) Dieser ekklesiologischen Betrachtungsweise entspricht eine *einheitliche theologische Konzeption*, die *radikal ekklesiologisch ansetzt* und *durchgängig ekklesiologisch strukturiert* ist. Das Christusereignis, das Paulus noch primär nach seiner soteriologischen Seite hin (Rechtfertigungslehre) ausgelegt hat, wird nach seiner ekklesio-

logischen Bedeutsamkeit interpretiert, und zwar wiederum so radikal, daß die *Soteriologie als Funktion der Ekklesiologie* erscheint. Die Rechtfertigungslehre tritt zurück bzw. wird der Ekklesiologie untergeordnet. Das geschieht freilich nicht auf Kosten der Christologie. Christus bleibt — wie bei Paulus — die Mitte der Verkündigung des Epheserbriefes. Er macht das Wesen der Ekklesia aus. Und es ist wohl kein rein religions- und traditionsgeschichtlich bedingter Zufall, sondern auch theologische Notwendigkeit der ekklesiologischen Konzeption des Epheserbriefes, daß Christus — und das ist neu gegenüber den anerkannten Paulusbriefen — als »Haupt« (1,22; 4,15; 5,23) der Kirche vorgestellt wird. Um das Christusereignis geht es hier wie dort. Doch wird es bei Paulus und im Epheserbrief verschieden ausgelegt und die dabei zutage tretende Denkstruktur ist im Falle des Epheserbriefes so anders konzeptioniert, daß mit Sicherheit gefolgert werden muß, daß der *Epheserbrief nicht von Paulus selbst verfaßt* sein kann.

(4) Dennoch hat sich der Epheserbrief mit Recht als *»paulinisches« Schreiben* verstanden. Das zeigt nicht zuletzt eine *traditionsgeschichtliche Einordnung seiner Konzeption.* Schon vor dem Epheserbrief versuchte wohl eine Art »Schule«, die sich paulinischer Tradition verpflichtet wußte, eine hellenistisch-judenchristliche kosmische Christologie (vgl. Kol-Hymnus) im Sinne des Paulus zu interpretieren. Ein erstes Anzeichen dafür begegnet uns im Kolosserbrief. Allerdings ist dort die »paulinische« Interpretation noch sehr zaghaft und auf einzelne Vorstellungen beschränkt. Doch sind die dabei hervortretenden »paulinischen« Interpretamente — das ekklesiologische Verständnis des »Leibes« und die Betonung der zentralen Bedeutsamkeit des »Kreuzes« — entscheidend für den Epheserbrief. Stellen sie doch den traditionsgeschichtlichen Ausgangspunkt für seine Konzeption dar, indem er sie systematisch und konsequent auf die kosmische Christologie anwendet. Traditionsgeschichtlich ist deshalb die theologische Konzeption des Epheserbriefes als *eine von paulinischem Gedankengut initiierte, am Kreuz orientierte radikal ekklesiologische Interpretation einer kosmischen Christologie zu bezeichnen,* wobei sich der Epheserbrief dem besonderen Problem der Kirche aus Juden *und* Heiden zuwendet. Wenn die so entstandene Konzeption auch nicht mehr die des Paulus ist,

so ist sie doch von der Intention her »paulinisch«. In bestimmter Hinsicht trägt sogar das Ergebnis dieser Konzeption »paulinischen« Charakter, besonders dann, wenn man es auf dem Hintergrund einer kosmischen Christologie betrachtet. »Paulinisch« ist es, wenn der Epheserbrief mit seiner ekklesiologischen Interpretation seiner Gemeinde wieder deutlich vor Augen rückt, daß dieser Christus, den sie als den Herrn des Kosmos preist, auch ihr »ur-sprünglicher« Herr ist. »Paulinisch« ist es, wenn der Epheserbrief die Kirche an ihren Ursprung im Kreuz und damit an ihr geschichtliches Wesen erinnert, so daß sie — so sehr sie in Christus schon »in den Himmeln« ist (vgl. 1,3; 2,6) — immer auch wachsen und auferbaut werden muß (vgl. 2,21f; 3,19; 4,12-16).

(5) Abschließend ist noch ein Wort zur *Person des Verfassers des Epheserbriefes* zu sagen: Er kommt aus paulinischer Tradition. Doch ist er weder Tradent, der konservierend weitergibt, noch Exeget, der möglichst genau Wort und Meinung des Paulus zur Sprache bringen will. Er konfrontiert vielmehr das, was er in paulinischer Schule empfangen hat, mit dem, was in seinem Umkreis die Gemeinde bewegt. Er ist kein Studierstubengelehrter, der einen dogmatischen Traktat schreibt. Mit seinem Brief will er die Leser anrühren, zu freudiger Erkenntnis führen. Das seelsorgliche Anliegen bricht immer wieder durch (vgl. 1,18; 3,18f). Doch ist er kein Pragmatiker, der Tradition möglichst praktikabel vermittelt. Die Tradition wird in der Weitergabe reflektiert. Daß er dabei zu einer eigenständigen Konzeption gelangt, erweist ihn als genialen Theologen. Am ehesten wird man ihn unter die Lehrer einzuordnen haben, die mit den anderen in 4,11 genannten Funktionen »zum Werk des Dienstes für den Aufbau des Leibes Christi« bestimmt sind (4,12).

Daß er bewußt nicht nur Paulus repetieren will, zeigt eine Stelle wie Eph 3,3f. Der ausdrückliche Verweis auf die vorausgehenden Darlegungen und auf die darin erkennbare Einsicht wäre als bloße Bemerkung des als Briefschreiber fingierten Paulus ziemlich überflüssig. »Paulus« verweist ja gerade auf das Mysterium, wie es nach der Konzeption des Verfassers dargestellt wurde. Hier wird die Decke der Pseudonymität am dünnsten. Der Verfasser verweist auf seine Einsicht, die er auf Grund seines theologischen Charismas in das dem Paulus geoffenbarte Mysterium hat. Wenn er dabei seine eigenen Darlegungen als dem Paulus geoffenbartes Mysterium ausweist, wird er Modell für den Theologen aller Zeiten. Die Aufgabe der Theologie kann eben nicht darin bestehen, eine einmal erfolgte Offenbarung steril zu konservieren. Offenbarung bleibt nur dann Offenbarung, wenn sie in aktualisierender Konfrontation als Offenbarung interpretiert wird.

Literaturverzeichnis

Abbott T .K., A Critical and Exegetical Commentary on the Epistles to the Ephesians and to the Colossians (ICC 8) Edinburgh 1968.

Allan J. A., The ›In Christ‹ Formula in Ephesians: NTS 5 (1958) 54-62.

Barth M., Israel und die Kirche im Brief des Paulus an die Epheser, München 1959.

Bauer W., Griechisch-deutsches Wörterbuch zu den Schriften des Neuen Testaments, Berlin [5]1963.

Beare F. W., The Epistle to the Ephesians (The Interpreter's Bible 10) New York-Nashville 1953, 597-749.

Behm J., αἷμα, in: ThW I 171-176.

– καινός, in: ThW III 450-456.

– *Quell G.*, διατίθημι, in: ThW II 105-137.

Belser J., Der Epheserbrief des Apostels Paulus, Freiburg 1908.

Best E., One Body in Christ. A Study in the Relationship of the Church to Christ in the Epistles of the Apostle Paul, London 1955.

Bieder W., Ekklesia und Polis im Neuen Testament und in der alten Kirche, Zürich 1941.

Billerbeck P., Kommentar zum Neuen Testament aus Talmud und Midrasch I-IV, München 1922-28.

Blass F. – Debrunner A., Grammatik des neutestamentlichen Griechisch, Göttingen [12]1965.

Bornkamm G., Mythos und Legende in den apokryphen Thomasakten (FRLANT 49) Göttingen 1933.

– Die Hoffnung im Kolosserbrief, in: Fschr. f. E. Klostermann (TU 77) Berlin 1961, 56-64.

Brandenburger E., Adam und Christus. Exegetisch-religionsgeschichtliche Untersuchung zu Römer 5,12-21 (1 Kor 15), (WMANT 7) Neukirchen 1962.

Büchsel F., »In Christus« bei Paulus: ZNW 42 (1949) 141-158.

– ἀλλάσσω, in: ThW I 252-260.

Bultmann R., Theologie des Neuen Testamentes, Tübingen [4]1961.

Chadwick H., Die Absicht des Epheserbriefes: ZNW 51 (1960) 145-153.

Coggan F. D., A Note on Ephesians II. 14: ExpT 53 (1941/42) 242.

Colpe C., Zur Leib-Christi-Vorstellung im Epheserbrief, in: Fschr. f. J. Jeremias, Beihefte ZNW 26 (1960) 173-187.

– Die religionsgeschichtliche Schule (FRLANT 78) Göttingen 1961.

Conzelmann H., Der Brief an die Epheser (NTD 8) Göttingen [2]1965, 56-91.

– Paulus und die Weisheit: NTS 12 (1966) 231-244.

– Grundriß der Theologie des Neuen Testamentes, München 1968.

Deichgräber R., Gotteshymnus und Christushymnus in der frühen Christenheit (StUNT 5) Göttingen 1967.

Deissmann A., Paulus, Tübingen ²1925.
Dibelius M., An die Kolosser, Epheser, an Philemon (HNT 12) Tübingen ³1953.
Dinkler E., Prädestination bei Paulus, in: Fschr. f. G. Dehn, Neukirchen 1957, 81-102.
Ewald P., Die Briefe des Paulus an die Epheser, Kolosser und Philemon (Zahns Kommentar zum NT X) Leipzig ²1910.
Fascher E., Der Vorwurf der Gottlosigkeit in der Auseinandersetzung bei Juden, Griechen und Christen, in: Fschr. f. O. Michel, Leiden-Köln 1963, 78-105.
Fraine J. de, Adam et son lignage. Études sur la notion de ›personalité corporative‹ dans la Bible, Brügge 1959.
Friedrich G., εὐαγγελίζομαι, in: ThW II 705-735.
Gabathuler H. J., Jesus Christus, Haupt der Kirche – Haupt der Welt. Der Christushymnus Kol 1,15-20 in der theologischen Forschung der letzten 130 Jahre (AThANT 45) Zürich 1965.
Gaugler E., Der Epheserbrief (Auslegung ntl Schriften 6) Zürich 1966.
Gnilka J., Der Epheserbrief (HThK X/2) Freiburg 1971.
– Christus unser Friede – ein Friedens-Erlöserlied in Eph 2,14-17, in: Fschr. f. H. Schlier, Freiburg 1970, 190-207.
Goodspeed E. J., The Meaning of Ephesians. A study of the Origin of the Epistle, New York 1933.
– The Key to Ephesians, Chicago 1956.
The Greek New Testament (ed. *K. Aland, M. Black, B. M. Metzger, A. Wikgren)* Stuttgart 1966.
Gutbrod W., Ἰσραήλ, in: ThW III 370-394.
Hanson St., The Unity of the Church in the New Testament. Colossians and Ephesians (ASNU 14) 1946.
Haupt E., Der Brief an die Epheser (Meyer K VIII) Göttingen ²1902.
Hegermann H., Zur Ableitung der Leib-Christi-Vorstellung: ThLZ 85 (1960) 839-842.
– Die Vorstellung vom Schöpfungsmittler im hellenistischen Judentum und Urchristentum (TU 82) Berlin 1961.
Henle F. A. v., Der Epheserbrief des hl. Apostels Paulus, Augsburg ²1908.
Jeremias J., ἄνθρωπος, in: ThW I 365-367.
Käsemann E., Leib und Leib Christi (BHTh 9) Tübingen 1933.
– Eine urchristliche Taufliturgie, in: Exegetische Versuche und Besinnungen I, Göttingen 1964, 34-51.
– Erwägungen zum Stichwort »Versöhnungslehre im Neuen Testament«, in: Fschr. f. R. Bultmann, Tübingen 1964, 47-59.
– Das theologische Problem des Motivs vom Leibe Christi, in: Paulinische Perspektiven, Tübingen 1969, 178-210.
– Rezension zu E. Percy, Die Probleme der Kolosser- und Epheserbriefe: Gnomon (1949) 342-347.

Kehl N., Der Christushymnus Kol 1,12-20. Eine motivgeschichtliche Untersuchung (SBM 1) Stuttgart 1967.
Kirby J. C., Ephesians. Baptism and Pentecost. An Inquiry into the Structure and Purpose of the Epistle to the Ephesians, London 1968.
Klöpper A., Der Brief an die Epheser, Göttingen 1891.
Kümmel W. G., Einleitung in das Neue Testament, Heidelberg [15]1967.
Kuhn K. G., Der Epheserbrief im Lichte der Qumrantexte: NTS 7 (1961) 334-346.
Lohmeyer E., Die Briefe an die Philipper, Kolosser und an Philemon (Meyer K IX) Göttingen [6]1964.
Lohse E., Die Briefe an die Kolosser und an Philemon (Meyer K IX/2) Göttingen 1968.
Maier F. W., Israel in der Heilsgeschichte nach Röm 9-11 (Biblische Zeitfragen, 12. Folge, Heft 11/12) Münster 1929.
Marxsen W., Einleitung in das Neue Testament, Gütersloh [3]1964.
Masson Ch., L'épître de s. Paul aux Ephésiens (Commentaire du NT 9) Neuchâtel-Paris 1953.
Mayser E., Grammatik der griechischen Papyri aus der Ptolemäerzeit I-II, Leipzig-Berlin 1906-34.
Meinertz M., Der Epheserbrief (Die Heilige Schrift des NT VII, hrsg. v. F. Tillmann) Bonn [4]1931, 50-106.
Merklein H., Zur Tradition und Komposition von Eph 2,14-18: BZ NF 17 (1973) 79-102.
— Das kirchliche Amt nach dem Epheserbrief (StANT 33) München 1973.
Mitton C. L., The Epistle to the Ephesians. Its Authorship, Origin and Purpose, Oxford 1951.
Müller Chr., Gottes Gerechtigkeit und Volk Gottes. Eine Untersuchung zu Röm 9-11 (FRLANT 86) Göttingen 1964.
Munck J., Christus und Israel. Eine Auslegung von Röm 9-11, Kopenhagen 1956.
Mußner F., Christus, das All und die Kirche. Studien zur Theologie des Epheserbriefes (Trierer Theologische Studien 5) Trier [2]1968.
— »Volk Gottes« im Neuen Testament: TrThZ 72 (1963) 169-178.
Nestle E. — Aland K., Novum Testamentum Graece, Stuttgart [25]1963.
Oepke A., Der Brief des Paulus an die Galater (ThHK 9) Berlin [3]1964.
Ortkemper F.-J., Das Kreuz in der Verkündigung des Apostels Paulus (SBS 24) Stuttgart 1967.
Percy E., Der Leib Christi, Leipzig 1942.
— Die Probleme der Kolosser- und Epheserbriefe, Lund 1946.
— Zu den Problemen des Kolosser- und Epheserbriefes: ZNW 43 (1950/51) 178-194.
Robinson W. H., The Hebrew Conception of Corporative Personality: Beihefte ZAW 66 (1936) 42-62.

Sahlin H., Die Beschneidung Christi. Eine Interpretation von Eph 2,11-22 (SBibUps 12) Lund 1950, 5-22.

Sand A., Der Begriff »Fleisch« in den paulinischen Hauptbriefen (BU 2) Regensburg 1967.

Sanders J. T., Hymnic Elements in Ephesians 1-3: ZNW 56 (1965) 214 bis 232.

— The New Testament Christological Hymns. Their historical religious background, Cambridge 1971.

Schenke H.-M., Der Gott »Mensch« in der Gnosis, Göttingen 1962.

— Die Gnosis, in: Die Umwelt des Urchristentums, hrsg. v. *J. Leipoldt* und *W. Grundmann*, I, Berlin ²1967, 371-415.

Schille G., Frühchristliche Hymnen, Berlin 1965.

Schlatter A., Der Brief an die Epheser (Erläuterungen zum NT 7) Stuttgart 1963, 152-249.

Schlier H., Der Brief an die Epheser. Ein Kommentar, Düsseldorf ⁶1968.

— Christus und die Kirche im Epheserbrief (BHTh 6) Tübingen 1930.

— Der Brief an die Galater (Meyer K VII) Göttingen ³1962.

— Das Mysterium Israels, in: Die Zeit der Kirche, Freiburg ³1962, 232 bis 244.

Schmid J., Der Epheserbrief des Apostels Paulus (BSt 22, 3/4) Freiburg 1928.

Schmidt H. W., Der Brief des Paulus an die Römer (ThHK 6) Berlin ²1966.

Schmidt K. L., ἐκκλησία, in: ThW III 502-539.

Schnackenburg R., Die Kirche im Neuen Testament. Ihre Wirklichkeit und theologische Deutung, ihr Wesen und Geheimnis (Quaestiones Disputatae 14) Freiburg ³1961.

— Das Heilsgeschehen bei der Taufe. Eine Studie zur paulinischen Theologie, München 1950.

— Neutestamentliche Theologie. Der Stand der Forschung, München ²1965.

— »Er hat uns mitauferweckt«. Zur Tauflehre des Epheserbriefes, in: LitJb II/2 (1952) 159-183.

— Die Aufnahme des Christushymnus durch den Verfasser des Kolosserbriefes, in: Ev.-Kath. Kommentar, Vorarbeiten 1, Zürich-Einsiedeln-Köln-Neukirchen 1969, 33-50.

Schneider J., σταυρός, in: ThW VII 572-584.

Schniewind J. — Friedrich G., ἐπαγγέλλω, in: ThW II 573-583.

Schweizer E., Die Kirche als Leib Christi in den paulinischen Homologumena, in: Neotestamentica, Zürich-Stuttgart 1963, 272-292.

— Die Kirche als Leib Christi in den paulinischen Antilegomena, in: Neotestamentica 293-316.

— Die hellenistische Komponente im neutestamentlichen sarx-Begriff, in: Neotestamentica 29-48.

– Kolosser 1,15-20, in: Ev.-Kath. Kommentar, Vorarbeiten 1, Zürich-Einsiedeln-Köln-Neukirchen 1969, 7-31.

– σάρξ, in: ThW VII 98-104.108f.118-151.

– σῶμα, in: ThW VII 1024-1091.

Scott E. F., The Epistles of Paul to the Colossians, to Philemon and to the Ephesians (Mofatt NTC) London [9]1958.

Sjöberg E., Wiedergeburt und Neuschöpfung im palästinensischen Judentum (StTh IV) 1950, 44-85.

Soden H. v., Die Briefe an die Kolosser, Epheser, Philemon. Die Pastoralbriefe (Handkommentar zum NT III) Freiburg-Leipzig [2]1893.

Staab K., An die Epheser (RNT 8) Regensburg [3]1959, 114-166.

Steinmetz F.-J., Protologische Heils-Zuversicht. Die Strukturen des soteriologischen und christologischen Denkens im Kolosser- und Epheserbrief, Frankfurt 1969.

Strathmann H., πόλις, in: ThW VI 516-535.

Stuhlmacher P., Gerechtigkeit Gottes bei Paulus (FRLANT 87) Göttingen 1965.

Vielhauer Ph., Oikodome. Das Bild vom Bau in der christlichen Literatur vom Neuen Testament bis Clemens Alexandrinus, Diss. Heidelberg 1939.

Westermann C., Das Buch Jesaja. Kapitel 40-66 (ATD 19) Göttingen 1966.

forschung zur bibel (fzb)

ist eine neue überkonfessionelle wissenschaftliche Reihe, herausgegeben von Rudolf Schnackenburg und Josef Schreiner in den Verlagen Echter - Würzburg und Katholisches Bibelwerk - Stuttgart.

fzb bringt im Manuskript-Druck-Verfahren Untersuchungen zum Alten und Neuen Testament, zur Umwelt des alten Israel und des Urchristentums sowie zum Frühjudentum.

fzb 3 Erich Zenger

Die Sinaitheophanie

Untersuchungen zum jahwistischen und elohistischen Geschichtswerk

304 S., DM 24,—, Echter

fzb 4 Ludger Schenke

Studien zur Passionsgeschichte des Markus

Tradition und Redaktion in Mk 14,1-42

570 S., DM 42,—, Echter

fzb 5 Lothar Ruppert

Der leidende Gerechte

Eine motivgeschichtliche Untersuchung zum Alten Testament und zwischentestamentlichen Judentum

288 S., DM 39,—, Echter

fzb 8 Dieter Zeller

Juden und Heiden in der Mission des Paulus

Studien zum Römerbrief

312 S., DM 32,—, KBW

KBW Verlag · 7 Stuttgart 1 · Silberburgstraße 121 A